SEM VOCÊ NÃO É VERÃO

SEM VOCÊ NÃO É VERÃO

Jenny Han

TRADUÇÃO DE CÁSSIA ZANON

Copyright © 2010 by Jenny Han
Publicado mediante acordo com Folio Literary Management, LLC
e Agência Riff

TÍTULO ORIGINAL
It's Not Summer Without You

EDIÇÃO
Cristiane Pacanowski | Pipa Conteúdos Editoriais

REVISÃO
Rayssa Galvão
Juliana Werneck

DIAGRAMAÇÃO
Julio Moreira | Equatorium Design

CIP-BRASIL. CATALOGAÇÃO NA FONTE
SINDICATO NACIONAL DOS EDITORES DE LIVROS, RJ

H197s

Han, Jenny, 1980-
Sem você não é verão / Jenny Han ; tradução Cássia Zanon. - 1.
ed. - Rio de Janeiro : Intrínseca, 2019.
240 p. ; 21 cm.

Tradução de: It's not summer without you
ISBN 978-85-510-0446-3

1. Ficção americana. I. Zanon, Cássia. II. Título.

18-53468
CDD: 813
CDU: 82-3(73)

[2019]

Todos os direitos desta edição reservados à
EDITORA INTRÍNSECA LTDA.
Av. das Américas, 500, bloco 12, sala 303
22640-904 – Barra da Tijuca
Rio de Janeiro – RJ
Tel./Fax: (21) 3206-7400
www.intrinseca.com.br

J + S para sempre

1

2 de julho

ERA UM DIA QUENTE DE VERÃO EM COUSINS. EU ESTAVA DEITADA à beira da piscina cobrindo o rosto com uma revista aberta. Minha mãe jogava paciência na varanda, e Susannah andava de um lado para o outro na cozinha — provavelmente não demoraria a sair de lá com um copo de chá gelado e um livro para mim. Alguma história romântica.

Conrad, Jeremiah e Steven tinham passado a manhã toda surfando. Caíra uma tempestade na noite anterior. Conrad e Jeremiah voltaram para casa primeiro, e os ouvi antes de vê-los. Os dois subiram os degraus da varanda às gargalhadas por Steven ter perdido a bermuda depois de ser atingido por uma onda forte. Conrad veio até mim, levantou a revista molhada com o suor do meu rosto e sorriu.

— Tem palavras coladas na sua cara — avisou.

Eu o encarei, estreitando os olhos.

— Quais?

Ele se agachou ao meu lado e disse:

— Não sei ao certo. Deixa eu ver.

E então olhou para o meu rosto muito sério. Ele se inclinou na minha direção e me beijou, com os lábios frios e salgados da água do mar.

— Ei, vocês dois, vão fazer isso em um lugar com mais privacidade — disse Jeremiah, mas eu sabia que ele estava brincando.

Ele deu uma piscadela para mim, se aproximando por trás, levantou Conrad e o atirou na piscina.

Depois se jogou na água também, gritando:

— Vem, Belly!

Claro que entrei com eles. A água estava ótima. Melhor do que ótima. Como sempre, Cousins era o único lugar onde eu realmente queria estar.

— Ei! Ouviu alguma coisa do que acabei de dizer?

Reabri os olhos. Taylor estava estalando os dedos diante do meu rosto.

— Desculpe. O que você estava dizendo?

Eu não estava em Cousins. Conrad e eu não éramos mais um casal, e Susannah já não estava mais entre nós. Nada jamais voltaria a ser como antes. Já fazia — *Quantos dias fazia? Quantos dias exatamente?* — dois meses que Susannah havia morrido, e eu ainda não conseguia acreditar. Não conseguia me fazer acreditar. Quando alguém que amamos morre, não parece real. É como se aquilo estivesse acontecendo com outra pessoa. Como se fosse a vida de outra pessoa. Eu nunca fui boa com coisas abstratas. O que significa quando alguém vai embora de verdade, para sempre?

Às vezes, eu fechava os olhos e pensava, sem parar: *não é verdade, não é verdade, isso não é real. Isso não é minha vida.* Mas era minha vida. Era o que minha vida se tornara. Depois de tudo.

Eu estava no quintal da Marcy Yoo. Os garotos se divertiam na piscina, e as garotas estavam enfileiradas deitadas em toalhas de praia. Eu era amiga da Marcy, mas as outras, Katie, Evelyn e mais algumas, eram amigas da Taylor.

Era pouco depois do meio-dia, e já passava dos 30 graus; seria uma tarde quente. Eu estava deitada de barriga para baixo, sentindo o suor se acumulando na parte inferior das minhas costas. Estava começando a ficar com insolação. Era apenas o segundo dia de julho e eu já contava os dias para o verão acabar.

— Eu *perguntei* o que você vai usar na festa do Justin — repetiu Taylor.

Nossas toalhas estavam tão próximas que pareciam uma única toalha imensa.

— Não sei — respondi, virando a cabeça para ficar de frente para ela.

Havia gotículas de suor no nariz de Taylor, onde ela sempre suava primeiro.

— Vou usar aquele vestido novo que comprei com a minha mãe no shopping — comentou.

Fechei os olhos outra vez. Como eu estava com óculos de sol, ela não sabia se meus olhos estavam abertos ou não.

— Qual? — perguntei.

— Aquele de bolinhas que amarra no pescoço. Eu te mostrei há uns dois dias.

Taylor soltou um suspiro impaciente.

— Ah, sim — falei, embora ainda não lembrasse, e sabia que Taylor tinha noção disso.

Comecei a dizer outra coisa, elogiando o vestido, mas de repente senti algo gelar minha nuca. Soltei um gritinho, e lá estava Cory Wheeler, agachado ao meu lado com uma lata de Coca-Cola na mão, se contorcendo de tanto rir.

Eu me sentei e olhei furiosa para ele, passando a mão na nuca. Já estava de saco cheio daquele dia e só queria ir para casa.

— Que droga, Cory!

Ele continuou rindo, o que me deixou ainda mais irritada.

— Cara, como você é imaturo.

— Mas você parecia estar com muito calor — retrucou ele. — Eu só estava tentando ajudar você a se refrescar.

Não respondi nada, apenas continuei com a mão na nuca. Meu maxilar estava tenso, e percebi que todas as outras meninas olhavam para mim. Então, o sorriso de Cory meio que desapareceu, e ele disse:

— Me desculpe. Quer a Coca?

Balancei a cabeça, e ele voltou para a piscina. Então vi Katie e Evelyn fazendo uma expressão tipo *qual é o problema dela?* e fiquei sem graça. Ser agressiva com o Cory era como ser agressiva com um filhote de pastor-alemão: simplesmente não fazia sentido. Tarde demais. Tentei fazer contato visual com ele, mas Cory não voltou a olhar para mim.

— Foi só uma brincadeira, Belly — murmurou Taylor.

Eu me deitei de novo na toalha, desta vez de barriga para cima. Inspirei fundo e soltei o ar lentamente. A música que saía da caixa de som ligada ao iPod de Marcy estava alta demais e me deixando com dor de cabeça. E eu estava *mesmo* com sede. Devia ter aceitado aquela Coca que o Cory ofereceu.

Taylor se inclinou na minha direção e levantou meus óculos para espiar meus olhos.

— Você está brava?

— Não. É só que está quente demais aqui.

Sequei o suor da testa com o braço.

— Não fique brava. O Cory não consegue deixar de agir feito um idiota perto de você. É que ele gosta de você.

— O Cory não gosta de mim — retruquei, desviando os olhos.

Mas ele meio que gostava de mim, e eu sabia disso. Só queria que não gostasse.

— Bom, pense o que quiser, mas ele gosta muito de você. E ainda acho que você deveria dar uma chance a ele. Para esquecer um pouco você-sabe-quem.

Virei a cabeça para o outro lado, e ela continuou:

— E se eu fizer uma trança do tipo boxeadora no seu cabelo para a festa de hoje à noite? Posso trançar só a parte da frente e prender na lateral, como da última vez.

— Tudo bem.

— O que você vai usar?

— Não sei ainda.

— Bom, você vai ter que ir bonita, porque vai estar todo mundo lá — disse Taylor. — Eu vou mais cedo pra sua casa, e a gente pode se arrumar juntas.

★ ★ ★

Desde o oitavo ano, Justin Ettelbrick dava uma grande festa de aniversário todo mês de julho, quando eu já estava em Cousins Beach, e minha casa, a escola e os amigos da escola estavam a milhões de quilômetros de distância. Eu nunca me importara de perder a festa, nem mesmo quando Taylor me contou da máquina de algodão-doce que os pais de Justin alugaram, ou dos fogos de artifício incríveis que eles soltavam acima do lago, à meia-noite.

Era o primeiro verão que eu estaria em casa para a festa de Justin, e era o primeiro verão que eu não iria para Cousins. E com isso eu me importava. Isso eu lamentava. Eu achava que passaria todos os verões da minha vida em Cousins. A casa de praia era o único lugar onde eu queria estar — era o único lugar onde eu queria estar na vida.

— Você vai mesmo, né? — perguntou Taylor.

— Sim. Eu disse que ia.

Ela franziu o nariz.

— Eu sei, mas... — Ela hesitou. — Ah, deixa pra lá.

Eu sabia que Taylor esperava que as coisas voltassem ao normal, que tudo fosse como antes. Mas as coisas jamais poderiam ser como antes. Eu nunca mais seria como antes.

Eu costumava acreditar; achava que, se quisesse muito alguma coisa, se desejasse o bastante, tudo aconteceria como deveria. Era o destino, como dizia Susannah. Eu pedia por Conrad em todos os aniversários, a cada estrela cadente, a cada cílio meu que caía. Toda moeda atirada em uma fonte era dedicada àquele a quem eu amava. Eu achava que sempre seria assim.

Taylor queria que eu esquecesse Conrad, que eu simplesmente o apagasse da minha vida e da memória. Ficava dizendo coisas como "todo mundo precisa superar o primeiro amor, é um rito de passagem". Mas Conrad não era apenas meu primeiro amor. Ele não era um mero rito de passagem. Era muito mais que isso. Ele, Jeremiah e Susannah eram a minha família. Em minhas lembranças, os três estariam sempre interligados, conectados para sempre. Não poderia haver um sem os outros.

Se eu esquecesse Conrad, se o expulsasse do meu coração, fingisse que ele nunca havia existido, seria como se eu fizesse a mesma coisa com Susannah. E isso eu não podia fazer.

2

ANTES, NA SEMANA EM QUE AS AULAS ACABAVAM, EM JUNHO, nós colocávamos todas as coisas no carro e partíamos direto para Cousins. Minha mãe ia ao supermercado no dia anterior e comprava suco de maçã e caixas enormes de barras de cereal, protetor solar e cereal integral. Quando eu implorava para ela comprar as marcas de cereais mais açucaradas, minha mãe dizia: "A Beck vai ter uma porção de cereal que estraga os dentes, não se preocupe." Claro que ela tinha razão. Susannah — que minha mãe chamava de Beck — adorava as marcas de cereais que só as crianças comiam, exatamente como eu. Nós comíamos muito cereal na casa de praia. Nunca dava tempo de eles ficarem mofados. Teve um verão em que os meninos comeram cereal no café da manhã, no almoço e no jantar. Meu irmão, Steven, comia Frosted Flakes; Jeremiah era fã do Cap'n Crunch; e Conrad, do Corn Pops. Jeremiah e Conrad eram os filhos da Beck e adoravam seus cereais. Eu comia qualquer coisa que sobrasse e que fosse coberta de açúcar.

Passei todos os verões da minha vida em Cousins. Nunca deixamos de ir para lá no verão, em nenhum ano. Foram quase dezessete anos que passei brincando de alcançar os garotos, com a esperança e o desejo de que um dia eu tivesse idade suficiente para participar do grupinho deles. O grupinho dos garotos do verão. Eu finalmente chegara lá, mas já era tarde demais. Na piscina, na última noite do último verão, dissemos que sempre voltaríamos. É assustadora a facilidade com que promessas são quebradas. Assim, do nada.

Quando voltei para casa, no verão passado, eu esperei. Agosto virou setembro, as aulas começaram, e continuei esperando. Não que Conrad e eu tivéssemos trocado declarações. Não que ele fosse meu namorado. Tudo que fizemos foi nos beijar. Ele estava indo para a faculdade, onde haveria um milhão de outras meninas, todas sem hora para voltar para casa. As garotas no alojamento dele eram todas mais inteligentes e mais bonitas que eu, todas novas e misteriosas, de um jeito que eu jamais poderia ser.

Eu pensava nele o tempo todo, me perguntava o que tudo aquilo tinha significado, o que éramos um para o outro. Porque não podíamos voltar atrás. Eu sabia que *eu* não podia. O que aconteceu entre nós — entre mim e Conrad, entre mim e Jeremiah — tinha mudado tudo. Assim, quando agosto começou e logo depois veio setembro e o telefone não tocou, tudo que eu precisei fazer foi pensar na maneira como ele olhara para mim naquela última noite, e eu soube que ainda havia esperança. Soube que não tinha imaginado tudo aquilo. Não poderia ter imaginado.

Segundo minha mãe, Conrad dividia um quarto no alojamento da faculdade com um colega chato de Nova Jersey, e Susannah estava preocupada que ele não estivesse se alimentando direito. Minha mãe me contava essas coisas casualmente, sem a menor cerimônia, para não ferir meu orgulho. Eu nunca a pressionava pedindo mais informações. A questão era que eu sabia que ele ligaria. *Sabia.* Bastava esperar.

Recebi a ligação na segunda semana de setembro, uns vinte dias depois que nos vimos pela última vez. Eu estava em casa, tomando sorvete de morango na sala, brigando com Steven pelo controle remoto. Eram nove da noite de segunda-feira, horário nobre na TV. O telefone tocou, e nem Steven nem eu fizemos menção de atender. Quem se levantasse perderia a batalha pela TV.

Minha mãe atendeu a ligação no escritório dela, depois trouxe o telefone até a sala, anunciando:

— Belly, é pra você. É o Conrad.

E deu uma piscadela.

Fiquei toda alvoroçada. O barulho do mar zumbia em meus ouvidos, meus tímpanos dominados pela agitação e pelo rugido das ondas. Senti uma espécie de barato. Foi o máximo. Eu tinha esperado, e aquela era a minha recompensa! Nunca foi tão bom estar certa, ter paciência.

Foi Steven quem me arrancou daquele devaneio. Franzindo a testa, ele perguntou:

— Por que o Conrad ligaria pra *você*?

Ignorei meu irmão, peguei o telefone e dei as costas para Steven, para o controle remoto e para o pote de sorvete derretendo. Nada disso importava.

Fiz Conrad esperar até eu chegar à escada antes de dizer qualquer coisa.

— E aí? — falei, me sentando nos degraus.

Tentei não sorrir. Sabia que ele perceberia o sorriso do outro lado da linha.

— E aí? — disse ele. — Como você está?

— Tudo bem.

— Adivinha só. Meu colega de quarto ronca ainda mais alto que você.

Conrad me ligou de novo na noite seguinte, e na outra. Conversávamos por horas. Steven ficava bem confuso quando o telefone tocava e era para mim, não para ele.

— Por que o Conrad fica ligando pra você? — perguntava meu irmão.

— Por que você acha? Ele gosta de mim. Nós gostamos um do outro.

Steven quase engasgou.

— Ele pirou — retrucou, balançando a cabeça.

— É tão impossível que Conrad Fisher goste de mim? — perguntei, cruzando os braços, desafiadora.

Ele nem precisou pensar na resposta.

— Sim. É completamente impossível.

E, para ser bem sincera, era mesmo.

★ ★ ★

Era como um sonho. Surreal. Depois de tanto desejar, pedir, querer, anos e anos de espera, verões inteiros, *ele* estava ligando para *mim*. Conrad gostava de conversar comigo. Eu o fazia dar risada mesmo quando ele não queria. Eu compreendia o que ele estava passando, porque meio que estava passando por aquilo também. Havia poucas pessoas no mundo que amavam Susannah como nós. Eu achava que isso bastaria.

Nós nos tornamos alguma coisa, eu e ele, algo que nunca ganhou exatamente uma definição, mas era alguma coisa. Alguma coisa de verdade.

Teve vezes em que ele dirigiu as três horas e meia da faculdade até minha casa. E chegou a passar a noite aqui uma vez, porque ficou tão tarde que minha mãe não quis que ele voltasse dirigindo. Conrad ficou no quarto de hóspedes, e eu fiquei deitada na minha cama, acordada durante horas, pensando em como ele estava dormindo a apenas poucos metros de distância, justamente na *minha* casa.

Se Steven não tivesse ficado pairando sobre nós como uma doença, sei que Conrad teria pelo menos tentado me beijar. Mas com meu irmão por perto, foi basicamente impossível. Quando Conrad e eu estávamos vendo TV, Steven pulava bem no meio, entre nós dois. Ele conversava com Conrad sobre assuntos que eu não sabia ou que não me interessavam, tipo futebol. Uma vez, depois do jantar, perguntei a Conrad se ele queria tomar sorvete no Brusters, e Steven foi logo se metendo, todo animadinho: "Acho ótimo." Olhei furiosa para ele, que apenas sorriu. Conrad pegou na minha mão bem na frente de Steven e disse:

— Vamos todo mundo.

Então fomos todos, até minha mãe. Eu não podia acreditar que estava saindo com um cara tendo a minha mãe e o meu irmão como companhia no banco de trás do carro.

Mas, na verdade, isso só tornou aquela incrível noite de dezembro ainda melhor. Conrad e eu voltamos para Cousins, apenas nós dois. Noites perfeitas acontecem muito raramente, mas aquela foi assim. Perfeita. Foi o tipo de noite pela qual vale a pena esperar.

Fico feliz que tenhamos tido aquela noite.

Porque, em maio, tudo estava acabado.

3

SAÍ CEDO DA CASA DE MARCY. DISSE A TAYLOR QUE EU QUERIA DEScansar para a festa de Justin naquela noite. Em parte, era verdade. Eu realmente queria descansar, mas não estava nem aí para a festa. Assim que cheguei em casa, vesti uma camiseta larga com o nome de Cousins, enchi uma garrafa com refrigerante de uva e gelo picado e fiquei vendo TV até sentir dor de cabeça.

Por sorte, estava tudo na maior paz e silêncio, apenas o som da TV e do motor do ar-condicionado armando e desarmando. Eu tinha a casa toda só para mim. Naquele verão, Steven estava trabalhando na Best Buy, economizando para comprar uma TV de tela plana de 50 polegadas, que levaria para a faculdade no outono. Minha mãe estava em casa, mas passou o tempo todo trancada no escritório, colocando o trabalho atrasado em dia.

Eu compreendia. Se fosse ela, também ia querer ficar sozinha.

Taylor chegou perto das seis da tarde, munida de sua bolsa de maquiagem rosa-choque da Victoria's Secret. Entrou na sala, me viu deitada no sofá ainda de camiseta e franziu a testa.

— Belly, você ainda nem tomou banho?

— Para sua informação, eu tomei banho hoje de manhã — respondi, sem me levantar.

— É, e passou o dia todo deitada no sol.

Ela agarrou meus braços, e deixei que me levantasse até eu ficar sentada.

— Vamos logo, já pro banho.

Eu a acompanhei até o andar de cima, e ela foi para o meu quarto enquanto eu me dirigi ao banheiro do corredor. Tomei o banho mais rápido da minha vida. Taylor era uma grande enxerida e, deixada sozinha no meu quarto, ia bisbilhotar tudo sem o menor pudor, mexeria nas coisas como se fosse o quarto dela.

Quando entrei, ela estava sentada no chão, na frente do espelho. Com gestos rápidos, espalhava bronzeador no rosto.

— Quer que eu faça a sua maquiagem também?

— Não, obrigada — respondi. — Feche os olhos enquanto eu me visto, está bem?

Ela revirou os olhos antes de fechá-los.

— Belly, você é tão puritana.

— Sou mesmo — falei, colocando a calcinha e o sutiã. Então vesti a camiseta de Cousins de novo. — Pronto, pode olhar.

Taylor arregalou os olhos e passou rímel nos cílios.

— Posso fazer suas unhas. Tenho três cores novas.

— Não, não tem por quê.

Ergui as mãos. Minhas unhas estavam roídas até o sabugo.

Taylor deu um sorriso triste.

— E então, o que você vai usar?

— Isto aqui — respondi, disfarçando o sorriso.

Apontei para minha camiseta, que de tão usada já tinha buraquinhos ao redor da gola e era macia como um cobertor de criança. Queria poder usá-la para a festa.

— Engraçadinha — disse ela, indo de joelhos até meu armário.

Taylor se levantou e começou a vasculhar as roupas, empurrando cabides para o lado, como se já não conhecesse de cor todas as peças que eu tinha. Normalmente, eu não me importava com aquilo, mas, naquele dia, tudo estava me incomodando e me deixando irritada.

— Não se preocupe. Vou com meu short e uma regata.

— Belly, as pessoas se arrumam para as festas do Justin. Você não tem como saber, porque nunca foi a nenhuma, mas não pode simplesmente usar seu short velho.

Taylor tirou meu vestido branco do armário. Eu o usara pela última vez no verão anterior, em uma festa com Cam. Susannah tinha dito que o vestido parecia emoldurar meu corpo.

Levantei, peguei o vestido da mão de Taylor e o coloquei de volta no armário.

— Esse está manchado — expliquei. — Vou encontrar outra coisa.

Taylor se sentou de volta na frente do espelho, dizendo:

— Bom, então usa aquele vestido preto com florezinhas. Ele deixa seus peitos incríveis.

— É justo demais, fica desconfortável.

— Ah, vai... Por favor!

Suspirando, tirei o vestido do cabide e o coloquei. Às vezes, era mais fácil simplesmente ceder aos pedidos de Taylor. Éramos melhores amigas desde pequenas; nossa amizade existia havia tanto tempo que era mais como um hábito, o tipo de coisa sobre a qual não temos muito o que dizer.

— Viu? Ficou lindo.

Ela veio até mim e fechou o zíper.

— Agora vamos falar sobre nosso plano de ação.

— Que plano de ação?

— Acho que você e Cory Wheeler deviam ficar.

— Taylor...

Ela ergueu a mão.

— Só me escute. O Cory é superlegal *e* supergatinho. Se ele malhasse e ficasse mais definido, seria gato tipo um modelo da Abercrombie.

Bufei, impaciente.

— Ora, por favor.

— Bom, ele pelo menos é tão gatinho quanto aquele que começa com C.

Ela nunca mais o chamara pelo nome. Agora, ele era apenas o "você sabe quem" ou "o que começa com C".

— Taylor, pare de ficar me pressionando. Eu não consigo esquecer o Conrad só porque você quer que eu esqueça.

— Você não pode pelo menos tentar? O Cory poderia ser só uma distração. Ele não ia se importar.

— Se você mencionar o Cory mais uma vez, eu não vou à festa — avisei, e estava falando sério.

Na verdade, eu meio que torci para ela falar nele de novo, só para eu ter uma desculpa para não ir.

Taylor arregalou os olhos.

— Está bem, está bem. Desculpa. Da minha boca não sai mais uma palavra sobre esse garoto.

Ela agarrou a bolsa de maquiagem e sentou na beira da minha cama; eu me sentei aos seus pés. Com um pente, repartiu meu cabelo, depois fez uma trança, com dedos rápidos e seguros. Quando terminou, prendeu a trança no topo da minha cabeça, puxando para a lateral. Nenhuma de nós disse nada enquanto ela fazia o penteado, até ela comentar:

— Adoro seu cabelo assim. Você fica parecendo uma americana nativa, tipo uma princesa Cherokee ou coisa parecida.

Comecei a rir, mas parei. Taylor me encarou pelo espelho e disse:

— Não tem problema em dar risada, sabe. Não há mal nenhum em se divertir.

— Eu sei — falei, mas na verdade não sabia.

Antes de sairmos, dei uma passada no escritório da minha mãe, que estava sentada diante da mesa com pastas e pilhas de papel. Susannah nomeara minha mãe executora de seu testamento, e acho que isso envolvia muita burocracia.

Minha mãe passava muito tempo ao telefone com o advogado de Susannah, analisando as informações. Ela queria que os últimos desejos de Beck fossem perfeitamente atendidos.

Susannah deixara para Steven e para mim um pouco de dinheiro para a faculdade. Também havia me deixado algumas joias: um bracelete de safira que eu não conseguia me imaginar usando, um colar de diamante para o dia do meu casamento — o que estava especificamente registrado por escrito —, um conjunto de brincos e anel de opala, meus preferidos.

— Mãe?

Ela ergueu os olhos para mim.

— Oi, filha.

— Você jantou?

Eu sabia que não. Ela não saíra do escritório desde que eu tinha chegado em casa.

— Não estou com fome. Se não tiver comida na geladeira, você pode pedir uma pizza.

— Posso preparar um sanduíche pra você.

Eu tinha ido ao mercado no começo da semana. Steven e eu estávamos nos revezando. Eu duvidava de que ela sequer tinha se dado conta de que era o fim de semana do feriado de Quatro de Julho.

— Não, tudo bem. Eu mesma preparo alguma coisa mais tarde.

— Está bem. — Mas hesitei. — Taylor e eu vamos a uma festa. Não vou chegar muito tarde.

Parte de mim esperava que ela me dissesse para não sair. Parte de mim queria se oferecer para ficar em casa e fazer companhia a ela, para ver se talvez ela quisesse fazer pipoca e ver o que estava passando no canal de filmes clássicos.

Mas minha mãe já havia voltado para a papelada e estava mordiscando a caneta.

— Parece legal. Se cuide.

Fechei a porta ao sair.

Taylor esperava por mim na cozinha, mandando mensagens de texto pelo celular.

— Vamos logo.

— Espere um pouco, só preciso fazer mais uma coisa.

Fui até a geladeira e peguei os itens para preparar um sanduíche de peito de peru, mostarda, queijo e pão branco.

— Belly, vai ter comida na festa. Não coma isso agora.

— É para minha mãe — respondi.

Preparei o sanduíche, coloquei em um prato, cobri com filme plástico e o deixei em cima do balcão, onde ela o veria.

★ ★ ★

A festa de Justin era tudo que Taylor disse que seria. Metade da nossa turma estava lá, e os pais dele não pareciam estar por perto. Tochas de bambu iluminavam o jardim, e as caixas de som praticamente vibravam, de tão alta que estava a música. As meninas já estavam dançando.

Havia um barril grande e um imenso cooler vermelho. Justin cuidava da grelha, assando carne e linguiça. Estava usando um avental com a frase BEIJE O CHEF.

— Como se alguém fosse ficar com ele — zombou Taylor.

Ela tinha dado uma chance a Justin no começo do ano, antes de ficar com o atual namorado, Davis. Taylor e Justin saíram algumas vezes antes de ele trocá-la por uma garota mais velha.

Eu tinha me esquecido de passar repelente, e os mosquitos estavam me devorando, então eu não parava de abaixar para coçar as pernas, mas até que estava contente por ter alguma coisa para fazer. Eu estava com medo de fazer contato visual com Cory sem querer. Ele estava perto da piscina.

As pessoas bebiam cerveja em copos plásticos vermelhos. Taylor pegou uns drinques com fruta e vinho para nós duas. O meu se chamava *Fuzzy Navel*. Estava muito doce e tinha gosto de produtos químicos. Tomei dois goles antes de jogar fora.

Então Taylor viu Davis perto da mesa em que jogavam a bola de pingue-pongue dentro de copos de cerveja, levou um dos dedos aos lábios e agarrou minha mão. Nós nos aproximamos por trás dele, e Taylor passou os braços pelas costas do namorado, anunciando:

— Peguei você!

Davis se virou, e eles se beijaram como se não tivessem se visto poucas horas antes. Fiquei lá parada por um instante, segurando minha bolsa sem saber o que fazer, olhando para todos os lados, menos para os dois. O nome dele era Ben Davis, mas todo mundo o chamava de Davis. Ele era muito fofo, tinha covinhas e olhos verdes como vidro marinho. E era baixo, o que, no começo, Taylor dizia ser um empecilho, mas agora alegava não importar tanto. Eu odiava ir para a escola de carro com eles, porque ficavam o tempo todo de mãos dadas, enquanto eu ia sentada no banco de trás, que nem uma criancinha. Os dois terminavam o namoro pelo menos uma vez por mês, e só estavam juntos desde abril. Em uma das brigas, Davis ligou para ela, aos prantos, pedindo para voltar, e Taylor o colocou no viva-voz. Eu me senti culpada por escutar a conversa, mas ao mesmo tempo com inveja e meio surpresa que ele se importasse tanto a ponto de chorar.

— O Pete vai ao banheiro — disse Davis, passando um dos braços pela cintura de Taylor. — Você fica aqui para fazer dupla comigo até ele voltar?

Ela olhou para mim e balançou a cabeça. Então se desvencilhou do abraço.

— Não posso deixar a Belly.

Olhei para ela.

— Taylor, você não precisa ficar de babá. Vai lá jogar.

— Tem certeza?

— Claro, tenho certeza.

Eu me afastei antes que ela pudesse discutir comigo. Cumprimentei Marcy e Frankie, com quem costumava pegar o ônibus para a escola no ensino fundamental; Alice, que era minha melhor amiga no jardim de infância; Simon, ao lado de quem eu estava na foto do anuário da escola. Era gente que eu conhecia a vida inteira. Mesmo assim, só conseguia pensar como sentia tanta saudade de Cousins.

De canto de olho, vi Taylor conversando com Cory e saí correndo antes que ela conseguisse me chamar. Peguei um refrigerante e fui até o trampolim. Como ainda não havia ninguém lá, tirei as sandálias de dedo e subi. Eu me deitei bem no meio, tomando cuidado para minha saia não levantar. O céu estava cheio de estrelas, que pareciam manchas de diamante. Bebi minha Coca-Cola, soltei alguns arrotos e olhei ao redor, para ver se alguém tinha escutado. Mas, não, todo mundo estava na casa. Então tentei contar estrelas, que é basicamente tão bobo quanto contar grãos de areia, mas contei mesmo assim, porque era alguma coisa para fazer. Fiquei pensando quando conseguiria escapar e voltar para casa. Havíamos ido com meu carro, e Taylor poderia voltar de carona com Davis. Então me perguntei se ficaria estranho eu levar alguns cachorros-quentes para comer mais tarde.

Fazia pelo menos duas horas que eu não pensava em Susannah. Talvez Taylor tivesse razão, talvez fosse ali que eu deveria estar. Se eu continuasse querendo estar em Cousins, se continuasse olhando para o passado, estaria condenada para sempre.

Enquanto eu pensava nisso, Cory Wheeler subiu no trampolim e veio até o meio, onde eu estava. Deitou bem ao meu lado e disse:

— E aí, Conklin?

Desde quando Cory e eu nos tratávamos pelo sobrenome? Desde nunca.

Mas decidi seguir com a brincadeira:

— E aí, Wheeler?

Tentei não olhar para ele. Tentei me concentrar na contagem das estrelas e não pensar em quanto ele estava perto de mim.

Cory se apoiou em um dos cotovelos e perguntou:

— Está se divertindo?

— Claro.

Meu estômago estava começando a doer. Fugir de Cory estava me dando uma úlcera.

— Já avistou alguma estrela cadente?

— Ainda não.

Ele cheirava a perfume, cerveja e suor. Estranhamente, não era uma combinação ruim. Os grilos cricrilavam muito alto, e a festa parecia estar muito distante.

— E então, Conklin.

— Sim?

— Você ainda está saindo com aquele cara com quem foi ao baile de formatura? O que tem uma monocelha?

Sorri. Não consegui evitar.

— Conrad não tem monocelha. E, não. Nós, ahn, terminamos.

— Legal — respondeu ele, e a palavra ficou pairando no ar.

E esse foi um daqueles momentos do tipo encruzilhada. A noite poderia ir para qualquer um dos lados. Se eu me inclinasse um pouquinho para a esquerda, poderia beijá-lo. Poderia fechar os olhos e me perder em Cory Wheeler. Poderia seguir em frente e esquecer. Ou pelo menos fingir.

Mas, apesar de Cory ser uma graça e até ser legal, ele não era Conrad. Nem de perto. Cory era simples, correto, tudo nele era harmonioso e ia na mesma direção. Conrad, não. Conrad fazia meu estômago dar um nó só com um olhar, um sorriso.

Cory estendeu a mão e mexeu no meu braço descontraidamente.

— Então, Conklin, quem sabe a gente...

Eu me sentei, de repente, e disse a primeira coisa que me veio à cabeça:

— Caramba, preciso fazer xixi. Te vejo depois, Cory!

Dei um jeito de sair do trampolim o mais rápido possível, encontrei minhas sandálias e voltei para a casa. Vi Taylor perto da piscina e segui direto até ela.

— Preciso falar com você — disse baixinho.

Agarrei a mão dela e a puxei para a mesa de petiscos.

— Tipo, tem uns cinco segundos que o Cory Wheeler quase me convidou para sair.

— E aí? O que você disse?

Os olhos de Taylor estavam radiantes, e eu detestei a expressão de convencida dela, como se tudo estivesse saindo conforme o planejado.

— Eu disse que precisava fazer xixi — respondi.

— Belly! Pode voltar para aquele trampolim e ficar com ele!

— Taylor, quer parar com isso? Eu disse que não estava interessada no Cory. Eu vi você conversando com ele mais cedo. Você pediu pra ele me chamar pra sair?

Ela deu de ombros.

— Bom, ele passou o ano todo a fim de você, e tem pensado em chamar. Talvez eu tenha dado *só* um empurrãozinho. Vocês dois estavam tão bonitinhos juntos lá no trampolim.

Balancei a cabeça.

— Eu realmente gostaria que você não tivesse feito isso.

— Eu só estava tentando ajudar você a se distrair!

— Bem, eu não preciso que você faça isso — falei.

— Precisa, sim.

Ficamos nos encarando por um tempo. Às vezes, em dias como aquele, eu tinha vontade de esganá-la. Ela era sempre muito mandona. Estava ficando de saco cheio da Taylor me empurrar para cá e para lá, me vestindo como se eu fosse uma de suas bonecas mais maltrapilhas e sem graça. As coisas sempre foram assim entre nós.

Mas a verdade era que eu finalmente tinha uma desculpa real para ir embora, e me sentia aliviada.

— Acho que vou pra casa.

— Que papo é esse? Nós acabamos de chegar.

— Só não estou a fim de ficar aqui, está bem?

Acho que ela estava ficando de saco cheio de mim também, porque disse:

— Acho que já vi esse filme, Belly. Tem meses que você está deprimida. Isso não é nada saudável... minha mãe acha que você deveria se consultar com alguém.

— O quê? Você conversou com sua mãe sobre mim?

Olhei furiosa para ela.

— Fala para sua mãe guardar os conselhos psiquiátricos dela para a Ellen.

Taylor arfou.

— Não acredito que você disse isso.

Segundo a mãe de Taylor, a gata delas, Ellen, tinha transtorno afetivo sazonal. A bichana tomou antidepressivos o inverno todo e, como ainda estava de mau humor na primavera, elas a mandaram para um encantador de gatos. Só que não adiantou nada. Na minha opinião, Ellen era má, mesmo.

Respirei fundo.

— Fiquei ouvindo você chorando por causa da Ellen durante meses, e daí a Susannah morre e você quer que eu simplesmente fique com o Cory, me divirta em uma festa e pare de pensar nela? Bem, sinto muito, mas não consigo fazer isso.

Taylor olhou ao redor rapidamente antes de se aproximar de mim e dizer:

— Não aja como se a Susannah fosse a única coisa que está deixando você triste, Belly. Você está triste por causa do Conrad também, e sabe disso.

Não acreditei que ela havia tido coragem de dizer aquilo. Doeu. Doeu porque era verdade. Mas, ainda assim, foi um golpe baixo. Meu pai costumava chamar Taylor de indomável. E ela era mesmo. Mas, para o bem ou para o mal, Taylor Jewel era parte de mim, e eu era parte dela.

— Nem todos podem ser como você, Taylor — falei, sem querer ser muito maldosa.

— Mas dá para tentar — sugeriu ela, dando um sorrisinho. — Olha, me desculpa pelo lance com o Cory. Eu só quero que você seja feliz.

— Eu sei.

Ela passou o braço pelo meu ombro, e eu deixei.

— Vai ser um verão incrível, você vai ver.

— Incrível — repeti.

Eu não estava procurando por nada incrível. Eu só queria sobreviver. Seguir em frente. Se conseguisse sobreviver a esse verão, o seguinte seria mais fácil. Teria que ser.

Então fiquei mais um pouco na festa. Eu me sentei na varanda com Davis e Taylor, vendo Cory dar em cima de uma garota do segundo ano. Comi um cachorro-quente. E depois fui para casa.

★ ★ ★

Em casa, o sanduíche ainda estava em cima do balcão, enrolado no plástico filme. Guardei-o na geladeira e subi a escada. A luz do quarto da minha mãe estava acesa, mas não entrei para dar boa-noite. Fui direto para o meu quarto, vesti outra vez minha camiseta largona, desfiz a trança, escovei os dentes e lavei o rosto. Então fui para debaixo das cobertas e fiquei deitada, pensando. Pensei: *Então a vida agora é assim*. Sem Susannah, sem os meninos.

Fazia dois meses. Eu tinha sobrevivido a junho. Pensei comigo mesma: *Eu consigo fazer isso. Consigo ir ao cinema com a Taylor e o Davis, consigo nadar na piscina da Marcy, talvez até consiga sair com Cory Wheeler. Se eu fizer essas coisas, vai ficar tudo bem. Talvez as coisas fiquem mais fáceis se eu me permitir esquecer como era bom.*

Mas, naquela noite, sonhei com Susannah e a casa de praia, e mesmo no meu sonho eu sabia exatamente como era tudo tão bom. Como era tudo tão certo. E não importa o que a gente faça ou quanto a gente tente, não dá para impedir os sonhos.

4

Jeremiah

VER O PRÓPRIO PAI CHORAR FERRA COM A CABEÇA DA GENTE. TALVEZ não seja assim com algumas pessoas. Talvez algumas tenham pais que não tenham problema para chorar e estejam sempre em contato com as próprias emoções. Mas meu pai não é desse jeito. Ele não é de chorar e certamente nunca nos encorajou a expressar os sentimentos dessa maneira. Mas, no hospital, e depois durante o velório, ele chorou feito um garotinho perdido.

Minha mãe morreu no começo da manhã. Foi tudo tão rápido que eu levei um tempo para me dar conta do que estava realmente acontecendo. A ficha demora a cair. Porém, mais tarde, naquela noite, a primeira noite sem ela, estávamos só eu e Conrad em casa. A primeira vez que ficávamos a sós depois de muitos dias.

A casa estava muito silenciosa. Nosso pai estava na funerária com Laurel. Os parentes tinham ido para um hotel, e éramos só eu e Con. Durante todo o dia, teve gente entrando e saindo da casa. Agora, éramos só nós dois.

Estávamos à mesa da cozinha. As pessoas mandaram todo tipo de coisa: cestas de frutas, bandejas de sanduíches, um bolo de café. Uma lata grande daqueles biscoitos amanteigados que vende no supermercado.

Peguei um pedaço do bolo de café e enfiei na boca. Estava seco. Comi outro pedaço.

— Quer um pouco? — perguntei a Conrad.

— Não.

Ele estava tomando leite. Devia estar meio velho. Não conseguia me lembrar da última vez que alguém havia ido ao mercado.

— O que vai acontecer amanhã? — perguntei. — Vai vir todo mundo pra cá?
Conrad deu de ombros.
— Provavelmente.
Estava com um bigode de leite.
Foi tudo que dissemos um ao outro. Meu irmão subiu para o quarto dele, e eu arrumei a cozinha. Estava cansado e subi também. Pensei em ir para o quarto de Conrad; embora não estivéssemos falando nada, era melhor quando estávamos juntos, era menos solitário. Fiquei parado no corredor por um instante, prestes a bater na porta, e então o ouvi chorando. Soluços engasgados. Não entrei. Eu o deixei sozinho. Sabia que ele preferiria assim. Fui para o meu quarto e me deitei na cama. E chorei também.

5

Usei meus óculos antigos no funeral, os de armação de plástico vermelho. A sensação foi a de usar um casaco antigo e apertado demais. Eles me deixavam tonta, mas não me importei. Susannah sempre gostou de mim com aqueles óculos. Ela dizia que eu parecia a garota mais inteligente de todas, o tipo de garota que ia a algum lugar e sabia exatamente como chegaria lá. Prendi o cabelo em um meio rabo, porque era assim que ela gostava. Ela dizia que esse penteado destacava meu rosto.

Para mim foi a coisa mais certa a fazer, estar do jeito de que ela mais gostava de me ver. Embora eu soubesse que ela só dizia aquelas coisas para eu me sentir melhor, tudo isso ainda parecia verdadeiro. Eu acreditava em tudo que Susannah dizia. Acreditei nela mesmo quando ela disse que jamais iria embora. Acho que todos acreditávamos, até mesmo minha mãe. Todos ficamos surpresos quando aconteceu, e, mesmo quando se tornou inevitável, quando se tornou um fato, nunca realmente acreditamos. Parecia impossível. Não a nossa Susannah, não a Beck. Sempre ouvimos histórias de pessoas que se recuperam, que superam as probabilidades contrárias. Eu tinha certeza de que Susannah seria uma delas. Mesmo que fosse uma chance em um milhão. Ela era uma em um milhão.

As coisas pioraram muito rápido. Pioraram tanto que minha mãe se revezava entre a casa de Susannah, em Boston, e a nossa; primeiro a cada dois fins de semana e depois com mais frequência. Ela precisou tirar uma licença do trabalho. E tinha um quarto só para ela na casa de Susannah.

Recebemos a ligação de manhã cedo. Ainda estava escuro lá fora. Era uma notícia ruim, é claro. Notícias ruins são o único tipo que realmente não pode esperar. Assim que escutei o telefone tocar, mesmo dormindo, eu soube. Susannah havia partido. Fiquei deitada na cama, esperando minha mãe vir me contar. Pude ouvi-la se movimentando no quarto, ouvi o barulho do chuveiro ligado. Como ela não veio, fui até seu quarto. Ela estava arrumando uma mala, o cabelo ainda molhado. Minha mãe olhou para mim, os olhos cansados e vazios.

— A Beck morreu — anunciou.

E foi isso.

Senti meu estômago revirar. Meus joelhos ficaram bambos. Então, me sentei no chão, apoiada contra a parede. Achei que soubesse como era sentir o coração partido. Achei que coração partido fosse eu sozinha no baile. Aquilo não era nada. Coração partido era o que eu estava sentindo ali. A dor no peito, a dor intensa atrás dos olhos. A noção de que as coisas nunca mais seriam as mesmas. Acho que tudo é relativo. A gente acha que conhece o amor, acha que conhece a dor verdadeira, mas não conhece. A gente não conhece nada.

Não sei bem quando comecei a chorar. Quando comecei, não conseguia parar. Não conseguia respirar.

Minha mãe atravessou o quarto e se ajoelhou no chão comigo, me abraçando, me balançando para a frente e para trás. Mas ela não chorou. Ela sequer estava lá. Era como um junco, um porto vazio.

Minha mãe seguiu de carro para Boston naquele mesmo dia. Ela só tinha ido em casa para conferir como eu estava e buscar uma muda de roupas. Ela achava que teria mais tempo. Ela devia ter estado lá quando Susannah morreu. Nem que fosse só pelos garotos. Eu tinha certeza de que ela estava pensando exatamente a mesma coisa.

Com sua melhor voz de professora, ela disse a Steven e a mim que devíamos ir sozinhos de carro dali a dois dias, quando o funeral seria realizado. Ela não queria que ficássemos lá em meio aos preparativos. Havia muito trabalho a ser feito. Muitas coisas precisavam ser resolvidas.

Minha mãe havia sido nomeada executora do testamento, e é claro que Susannah sabia exatamente o que estava fazendo quando a escolheu para isso. Era verdade que não havia ninguém melhor para a função, e as duas vinham repassando tudo antes de Susannah morrer. E mais que isso, minha mãe dava sempre o seu melhor quando estava ocupada, fazendo coisas. Ela não desmoronava, não quando precisavam dela. Não, minha mãe se apresentava para o que fosse necessário. Queria ter herdado esse gene. Porque eu estava perdida. Eu não sabia o que fazer.

Pensei em ligar para Conrad. Até digitei o número dele algumas vezes. Mas não consegui. Não sabia o que dizer. Tinha medo de falar as coisas erradas, de piorar a situação. E então pensei em ligar para Jeremiah. Mas foi o medo que me impediu de agir. Eu sabia que, no instante em que ligasse, no instante em que dissesse em voz alta, seria verdade. Ela estaria realmente morta.

Ficamos em silêncio na maior parte do caminho de carro até Boston. O único terno de Steven, o que ele havia usado recentemente no baile de formatura, estava enrolado em um plástico, pendurado no banco de trás. Eu não me dera ao trabalho de pendurar o vestido.

— O que vamos dizer? — perguntei, depois de um tempo.

— Não sei — admitiu ele. — O único funeral a que fui foi o da tia Shirle, e ela era bem velhinha.

Eu era pequena demais para me lembrar.

— Onde vamos passar a noite? Na casa da Susannah?

— Não faço ideia.

— Como você acha que o Sr. Fisher está lidando com a situação?

Eu não conseguia me forçar a imaginar Conrad ou Jeremiah. Ainda não.

— Com uísque.

Depois disso, parei de fazer perguntas.

★ ★ ★

Trocamos de roupa em um posto de gasolina a uns cinquenta quilômetros da funerária. Assim que vi quanto o terno de Steven estava arrumado e bem-passado, me arrependi de não ter pendurado meu vestido. De volta ao carro, fiquei alisando a saia com a palma das mãos, mas isso não ajudou muito. Minha mãe tinha dito que rayon não prestava. Eu devia tê-la escutado. Também deveria ter experimentado o vestido antes de escolhê-lo. A última vez que o havia usado tinha sido em uma recepção na universidade da minha mãe, três anos antes, e agora estava pequeno demais.

Chegamos lá bem cedo, o bastante para encontrar minha mãe andando de um lado para o outro, arrumando as flores e conversando com o Sr. Browne, o diretor da funerária. Assim que ela me viu, franziu a testa.

— Você devia ter passado esse vestido, Belly.

Mordisquei o lábio inferior para não dizer nada de que eu pudesse me arrepender depois.

— Não tive tempo — respondi, embora não fosse verdade.

Tive muito tempo.

Puxei a saia para baixo, para não parecer tão curta.

Ela assentiu, lacônica.

— Vão atrás dos meninos, por favor. Belly, converse com Conrad.

Steven e eu nos entreolhamos. O que eu ia dizer? Havia passado um mês desde o baile, desde que conversamos pela última vez.

Nós os encontramos em uma sala lateral, com bancos de madeira e caixas de lenço de papel sob tampas de laca. Jeremiah estava com a cabeça abaixada, como se estivesse rezando, algo que eu nunca o vira fazer. Conrad estava sentado ereto, os ombros retos, olhando fixamente para o nada.

— E aí? — disse Steven, pigarreando.

Meu irmão foi na direção dos dois e lhes deu um abraço meio bruto.

Eu me dei conta de que nunca havia visto Jeremiah de terno. Parecia um pouco apertado. Ele estava desconfortável, sem parar de puxar o colarinho ao redor do pescoço. Mas os sapatos pareciam novos. Me perguntei se minha mãe o ajudara a escolher.

Quando chegou minha vez, fui apressadamente até Jeremiah e o abracei o mais forte que pude. Ele pareceu duro nos meus braços.

— Obrigado por vir — disse, a voz estranhamente formal.

Pensei subitamente que talvez Jere estivesse bravo comigo, mas afastei o pensamento tão rapidamente quanto surgiu. Me senti culpada por ousar pensar naquilo. Aquele era o funeral de Susannah, por que ele estaria pensando em mim?

Dei tapinhas constrangidos em suas costas, minha mão fazendo pequenos círculos. Seus olhos estavam absurdamente azuis, o que costumava acontecer quando ele chorava.

— Eu sinto muito mesmo — falei, e logo me arrependi por isso, porque eram palavras absolutamente inúteis.

Era uma frase que não transmitia o que eu realmente queria dizer. Como eu estava me sentindo de verdade. "Sinto muito" era tão sem sentido quanto o rayon.

Então olhei para Conrad. Ele estava sentado novamente, as costas tensas, a camisa branca toda amarrotada.

— E aí — falei, me sentando ao lado dele.

— E aí.

Eu não sabia se devia abraçá-lo ou deixá-lo em paz. Então, apertei seu ombro, e ele não disse nada. Era como se fosse feito de pedra. Fiz uma promessa a mim mesma: não sairia do lado dele o dia inteiro. Eu estaria bem ali, seria uma fortaleza, exatamente como minha mãe.

Minha mãe, Steven e eu nos sentamos no quarto banco, atrás dos primos de Conrad e Jeremiah e do irmão do Sr. Fisher e da esposa dele, que tinha passado perfume demais. Achei que minha mãe deveria estar na primeira fileira, e disse isso a ela, em um sussurro. Ela espirrou por causa do perfume e disse que isso não tinha importância. E estava certa. Então ela tirou o blazer do seu terninho e o colocou sobre minhas coxas nuas.

Eu me virei uma vez e vi meu pai no fundo do salão. Por algum motivo, eu não esperava vê-lo ali. O que era estranho, porque ele também conhecia Susannah. Por isso, fazia todo sentido que estivesse em seu funeral. Acenei ligeiramente para ele, que respondeu com outro aceno.

— O papai está aqui — sussurrei para minha mãe.

— É claro que está — disse ela, sem olhar para trás.

Os amigos de escola de Jeremiah e Conrad sentaram-se juntos, em bando, mais para o fundo. Pareciam constrangidos e deslocados. Os garotos mantinham as cabeças abaixadas, e as meninas cochichavam umas com as outras, nervosas.

A cerimônia foi longa. Um pastor que eu não conhecia fez o discurso fúnebre. Ele disse coisas boas a respeito de Susannah, a chamou de gentil, compassiva e encantadora — e ela era todas essas coisas, mas a sensação que tive foi que ele não a conhecera. Me aproximei da minha mãe para dizer isso, mas ela assentia, ouvindo o discurso.

Eu achei que não fosse chorar de novo, mas chorei. Muito. O Sr. Fisher se levantou e agradeceu a todos pela presença, disse que seríamos bem-vindos à casa deles para uma recepção depois da cerimônia. Sua voz ficou embargada algumas vezes, mas ele conseguiu se controlar. Quando eu o vi pela última vez, estava bronzeado, confiante e altivo. Naquele dia, parecia um homem perdido em uma nevasca. Os ombros encurvados, o rosto pálido. Pensei em quanto devia estar sendo difícil para ele ficar ali, de pé, diante de todos que a amavam. Ele a havia traído, deixara Susannah quando ela mais precisou. Mas, no fim, ele tinha aparecido. Tinha segurado a mão dela naquelas últimas semanas. Talvez também tivesse pensado que teriam mais tempo juntos.

Susannah estava em um caixão fechado. Ela havia dito à minha mãe que não queria todos olhando quando ela estivesse com uma má aparência. Pessoas mortas parecem falsas, explicara. Como se fossem de cera. Lembrei a mim mesma que a pessoa dentro do caixão não era Susannah, que a aparência dela não importava, porque ela já não estava mais ali.

Quando tudo terminou, depois de rezarmos o Pai-nosso, formamos uma fila para oferecer as condolências. Eu me senti estranhamente adulta lá, ao lado da minha mãe e do meu irmão. O Sr. Fisher se inclinou e me deu um abraço tenso, os olhos ainda úmidos. Ele apertou a mão do Steven, e, quando abraçou minha mãe, ela sussurrou algo em seu ouvido, e ele assentiu.

Quando abracei Jeremiah, estávamos chorando tanto que nos seguramos um no outro. Seus ombros tremiam sem parar.

Ao abraçar Conrad, queria dizer alguma coisa para reconfortá-lo. Alguma coisa melhor do que "sinto muito". Mas foi um abraço tão rápido que não houve tempo de dizer nada além disso. Havia uma fila imensa atrás de mim, todos esperando para prestar condolências também.

O cemitério não ficava muito longe. Meus saltos afundavam no chão. Devia ter chovido no dia anterior. Antes de baixarem o caixão de Susannah na terra úmida, Conrad e Jeremiah depositaram uma rosa branca cada um em cima dele, e então as demais pessoas colocaram mais flores. Escolhi uma peônia cor-de-rosa. Alguém cantou um hino religioso. Quando a cerimônia de sepultamento acabou, Jeremiah não se moveu. Ficou parado onde viria a ser o túmulo e chorou. Minha mãe foi até ele. Ela o pegou pela mão, murmurando alguma coisa.

De volta à casa de Susannah, Jeremiah, Steven e eu fomos para o quarto de Jeremiah. Nós nos sentamos na cama dele com nossas roupas formais.

— Onde está o Conrad? — perguntei.

Não havia me esquecido da promessa que fizera de ficar ao seu lado, mas ele estava dificultando a situação, desaparecendo o tempo todo.

— Deixe ele ficar um pouco sozinho — disse Jeremiah. — Vocês estão com fome?

Eu estava, mas não queria dizer.

— Você está?

— Estou, um pouco. Tem comida lá embaixo.

A voz dele desapareceu com as palavras "lá embaixo". Eu sabia que ele não queria descer e encarar toda aquela gente, ver a pena nos olhos de todos. *Que triste*, diriam, *olhe para esses dois meninos que ela deixou para trás.* Os amigos deles não tinham ido até a casa, foram embora logo depois do sepultamento. Só tinha adultos lá embaixo.

— Eu vou — me ofereci.

— Obrigado — respondeu ele.

Eu me levantei e fechei a porta quando saí. No corredor, me detive para olhar os retratos da família. Eram fotos foscas emolduradas em preto, todas com o mesmo tipo de moldura. Em uma das imagens, Conrad estava usando uma gravata-borboleta, e seus dentes da frente tinham caído. Em outra, Jeremiah tinha oito ou nove anos e usava o boné do Red Sox que se recusou a tirar por, tipo, um verão inteiro. Dizia que era um boné da sorte. E usou aquele boné todos os dias durante três meses. A cada duas semanas, Susannah o lavava e o colocava de volta no quarto enquanto ele dormia.

No andar de baixo, os adultos iam de um lado para o outro, tomando café e falando em voz baixa. Minha mãe estava diante da mesa do bufê, servindo bolo aos estranhos. Estranhos para mim, pelo menos. Eu me perguntei se ela os conhecia, se eles sabiam quem ela era para Susannah, como ela era sua melhor amiga, como as duas passaram todos os verões juntas durante quase a vida inteira.

Peguei dois pratos, e minha mãe me ajudou a enchê-los.

— Vocês estão bem lá em cima? — quis saber, servindo uma fatia de queijo roquefort.

Assenti e tirei a fatia de queijo do prato.

— Jeremiah não gosta desse queijo — expliquei.

Então peguei um punhado de biscoitos de água e sal e um cacho de uvas verdes.

— Você viu o Conrad? — perguntei.

— Acho que ele está no porão.

Rearrumando o prato de queijo, minha mãe acrescentou:

— Por que não vai ver como ele está e leva um prato pra ele? Eu levo este daqui para os meninos.

— Está bem.

Peguei o prato e atravessei a sala de jantar justamente quando Jeremiah e Steven desciam a escada. Fiquei parada vendo Jeremiah conversar com as pessoas, deixando-as abraçá-lo e segurar sua mão. Nossos olhares se cruzaram, e eu ergui a mão e acenei ligeiramente. Ele levantou a mão e fez o mesmo, revirando um pouco os olhos para a mulher agarrada em seu braço. Susannah ficaria orgulhosa dele.

Então desci para o porão, que era acarpetado e tinha isolamento acústico. Susannah reformara o lugar assim que Conrad começou a aprender a tocar guitarra.

Estava escuro. Conrad não tinha acendido as luzes. Esperei que meus olhos se ajustassem à baixa luminosidade e segui descendo os degraus, tateando o caminho.

Não demorei a encontrá-lo. Ele estava deitado no sofá com a cabeça no colo de uma garota. Ela passava as mãos pelo topo da sua cabeça, como se ali fosse seu lugar. Embora o verão tivesse acabado de começar, ela estava bronzeada. Estava sem sapatos, com as pernas nuas apoiadas na mesa de centro. E Conrad acariciava a perna dela.

Fiquei completamente tensa.

Eu a tinha visto no funeral. Eu a havia achado muito bonita e me perguntado quem seria. Parecia ser do sul da Ásia, indiana. Tinha cabelo e olhos escuros e usava uma minissaia preta e uma blusa de bolinhas branca e preta. E uma faixa preta no cabelo.

Ela me viu primeiro.

— Oi — disse.

Foi quando Conrad olhou para trás e me viu parada na porta com um prato de queijo e biscoitos. Ele se sentou.

— É comida pra gente? — perguntou, sem olhar direito para mim.

— Minha mãe mandou — falei, e minha voz saiu muito baixa.

Fui até eles e coloquei o prato em cima da mesa de centro. Fiquei ali parada por um instante, sem saber direito o que fazer.

— Obrigada — disse a garota, de um jeito que mais pareceu algo como *agora você pode ir*.

Não foi de um jeito maldoso, mas de uma maneira que deixava claro que eu estava interrompendo alguma coisa.

Fui saindo lentamente, mas, quando cheguei à escada, comecei a correr. Passei correndo por todas as pessoas na sala de estar e pude ouvir Conrad vindo atrás de mim.

— Espere um pouco — chamou ele.

Eu tinha quase saído do hall de entrada quando ele me alcançou e segurou meu braço.

— O que você quer? — falei, puxando o braço com força. — Me solta.

— Aquela era a Aubrey — explicou, me soltando.

Aubrey, a garota que partiu o coração de Conrad. Eu a imaginava diferente. Loira. Ela era mais bonita do que eu havia pensado. Eu jamais poderia competir com uma garota daquelas.

— Desculpe por interromper o momento íntimo de vocês.

— Ah, vê se cresce — retrucou ele.

Existem momentos na vida que desejamos de todo o coração sermos capazes de eliminar. Tipo, simplesmente apagar da existência. Tipo, se fosse possível, simplesmente apagar a nós mesmos da existência também. Dar tudo para aquele momento não existir.

O que eu disse a seguir foi um desses momentos para mim.

No dia do funeral da mãe dele, eu disse para o garoto que eu amava mais do que jamais havia amado algo ou alguém:

— Vá pro inferno.

Foi a pior coisa que eu disse a alguém em toda a minha vida. Não que eu nunca tivesse dito aquelas palavras antes. Mas eu jamais vou me esquecer da cara que ele fez. A expressão no rosto dele me deu vontade de morrer; confirmou todas as coisas ruins e baixas que eu algum dia havia pensado a meu respeito, aquilo que esperamos e torcemos para que ninguém descubra sobre nós. Porque, se alguém descobrir, vai ver quem somos de verdade e vai nos desprezar.

— Eu deveria saber que você agiria assim — disse Conrad.

Arrasada, perguntei a ele:

— Como assim?

Ele deu de ombros, o maxilar tenso.

— Deixa pra lá.

— Não, diga.

Ele começou a dar meia-volta, a sair, mas eu o detive. Fiquei em seu caminho.

— Diga — repeti, falando mais alto.

Ele olhou para mim.

— Eu sabia que não era uma boa ideia começar alguma coisa com você, Belly. Você é só uma criança. Foi um grande erro.

— Não acredito em você.

As pessoas estavam começando a reparar. Minha mãe estava na sala de estar, conversando com gente que eu não reconhecia. Ela havia erguido os olhos quando comecei a falar. Não consegui nem olhar para ela. Podia sentir meu rosto queimando.

Eu sabia que o certo era me afastar. Sabia que era o que eu deveria fazer. Naquele instante, foi como se eu estivesse flutuando acima do meu corpo e pudesse ver a mim mesma e como todos no ambiente estavam olhando para mim. Mas quando Conrad simplesmente deu de ombros e começou a se afastar de novo, fiquei muito brava e me senti muito... pequena. Queria parar, mas não conseguia.

— Eu te odeio — falei.

Conrad se virou e assentiu, como se estivesse esperando que eu dissesse exatamente aquilo.

— Ótimo.

A maneira como ele olhou para mim, com pena, cansado e simplesmente indiferente, acabou comigo.

— Nunca mais quero te ver — continuei, passando por ele com um empurrão e subindo a escada tão rápido que tropecei no último degrau.

Caí de joelhos, com força. Acho que ouvi alguém arfar. Mal conseguia enxergar por causa das lágrimas. Às cegas, me levantei e corri para o quarto de hóspedes.

Tirei os óculos, deitei na cama e chorei.

Não era Conrad quem eu odiava. Era a mim mesma.

Meu pai subiu depois de um tempo. Ele bateu na porta algumas vezes e, como não respondi, entrou e se sentou na beira da cama.

— Você está bem? — perguntou.

A voz dele estava tão gentil que pude sentir as lágrimas escorrendo pelo canto dos meus olhos novamente.

Ninguém deveria ser legal comigo. Eu não merecia isso. Rolei na cama para ficar de costas para ele.

— A mamãe está brava comigo?

— Não, é claro que não. Desça comigo pra se despedir de todo mundo.

— Não posso.

Como eu poderia descer e encarar as pessoas depois daquela cena? Era impossível. Eu me sentia humilhada e tinha feito aquilo comigo mesma.

— O que aconteceu entre você e Conrad, Belly? Vocês dois brigaram? Vocês terminaram?

Foi muito estranho ouvir a palavra "terminaram" saindo da boca do meu pai. Eu não podia falar daquilo com ele. Era esquisito demais.

— Papai, não posso falar dessas coisas com você. Pode ir embora? Eu quero ficar sozinha.

— Tudo bem — respondeu ele, e notei a mágoa em sua voz. — Quer que eu chame sua mãe?

Ela era a última pessoa que eu queria ver. Imediatamente, respondi:

— Não, por favor.

A cama rangeu quando meu pai se levantou e saiu, fechando a porta.

A única pessoa que eu queria era Susannah. Eu só queria ela. E então um pensamento me ocorreu com absoluta clareza. Eu nunca mais seria a preferida de ninguém. Nunca mais seria criança de novo, não da mesma maneira. Tudo aquilo tinha acabado. Ela havia mesmo partido para sempre.

Esperava que Conrad levasse a sério o que eu tinha falado. Esperava não o ver nunca mais. Se eu tivesse que olhar para ele de novo, se ele olhasse para mim como olhou naquele dia... isso acabaria comigo.

6

3 de julho

Quando meu celular tocou cedinho, na manhã seguinte, meu primeiro pensamento foi: *Tão cedo assim, só pode ser ligação ruim.* De certa maneira, eu tinha razão.

Acho que ainda estava meio sonhando quando ouvi a voz dele. Por um longo instante, achei que fosse Conrad e, naqueles segundos, não consegui respirar. Conrad me ligando de novo bastava para me fazer esquecer de como respirar. Mas não era Conrad. Era Jeremiah.

Eles eram irmãos, afinal. Tinham vozes parecidas. Parecidas, mas não iguais. Ele, Jeremiah, disse:

— Belly, é o Jeremiah. Conrad se foi.

— Como assim "se foi"?

De repente, fiquei totalmente desperta, o coração quase saindo pela boca. Aquela expressão havia passado a significar algo diferente. Agora queria dizer algo permanente.

— Ele largou o curso de verão há dois dias e ainda não voltou. Você sabe onde ele está?

— Não.

Conrad e eu não nos falávamos desde o funeral de Susannah.

— Ele perdeu duas provas. Conrad nunca faria isso.

Jeremiah parecia desesperado, em pânico até. Eu nunca o escutara falar daquele jeito. Estava sempre tranquilo, sempre rindo, nunca falava sério. E ele tinha razão: Conrad nunca faria isso, jamais simplesmente iria embora sem dizer nada a ninguém. Pelo menos não o velho Conrad. Não o Conrad que eu amava desde os dez anos, não ele.

Eu me sentei na cama e esfreguei os olhos.

— Seu pai está sabendo disso?
— Sim. Ele está pirando. Não sabe lidar com esse tipo de coisa.

Esse tipo de coisa era algo com o qual apenas Susannah lidava, não o Sr. Fisher.

— O que você quer fazer, Jere?

Tentei falar do jeito que minha mãe falaria. Parecendo calma, sensata. Como se eu não estivesse morrendo de medo diante da ideia de Conrad ter desaparecido. Não que eu pensasse que ele estivesse com problemas. Mas, se ele tivesse ido embora, ido embora de verdade, talvez jamais voltasse. E isso me assustava mais do que eu era capaz de admitir.

— Não sei.

Jeremiah soltou um longo suspiro.

— O celular dele está desligado há dias. Você acha que pode me ajudar a encontrá-lo?

— Sim. Claro. Claro que posso — respondi na mesma hora.

Tudo fez sentido naquele momento. Aquela era a minha chance de acertar as coisas com Conrad. Tive a sensação de que era isso que eu estava esperando, mesmo sem saber. Era como se eu tivesse agido como uma sonâmbula nos últimos dois meses e agora finalmente despertasse. Eu tinha um objetivo, um propósito.

Naquele último dia, eu dissera coisas horríveis. Coisas imperdoáveis. Talvez, se eu o ajudasse de alguma maneira, por menor que fosse, poderia consertar o que tinha destruído.

Ainda assim, por mais assustada que eu estivesse com a ideia de Conrad estar desaparecido, por mais ansiosa que estivesse para me redimir, ficava apavorada só de pensar em estar perto dele novamente. Ninguém no mundo me afetava como Conrad Fisher.

Logo depois que Jeremiah e eu encerramos a ligação, saí em disparada, atirando roupas íntimas e camisetas na mochila. Quanto tempo levaríamos para encontrá-lo? Será que ele estava bem? Eu saberia se não estivesse, não saberia? Peguei minha escova de dentes, um pente e a solução para as lentes de contato.

Minha mãe estava passando roupa na cozinha. Olhava fixamente para o nada, com a testa franzida formando uma ruga imensa.

— Mamãe? — chamei.

Ela olhou para mim, assustada.

— O que foi? O que aconteceu?

Eu já havia pensado no que diria.

— A Taylor está meio que tendo um ataque porque ela e o Davis terminaram de novo. Vou passar a noite na casa dela. Talvez a próxima noite também, dependendo de como ela estiver.

Prendi a respiração, esperando uma resposta. Minha mãe tinha o melhor detector de mentiras do mundo. É mais do que intuição materna, é tipo um dispositivo de localização. Mas nenhum alarme disparou, nada de sinos ou apitos. Seu rosto continuou perfeitamente impassível.

— Tudo bem — disse, voltando a passar roupa. — Tente estar em casa amanhã à noite — pediu. — Vou fazer linguado.

Ela vaporizou uma calça cáqui. Eu estava livre para ir. Devia me sentir aliviada, mas, na realidade, não senti.

— Vou tentar.

Por um instante, pensei em contar a verdade. De todas as pessoas, ela compreenderia. Ela se disporia a ajudar. Minha mãe amava os dois. Foi ela quem levou Conrad ao pronto-socorro quando ele quebrou o braço andando de skate, porque Susannah estava tremendo tanto que não conseguia dirigir. Minha mãe era firme, forte. Ela sempre sabia o que fazer.

Ou, pelo menos, costumava saber. Agora, eu não tinha mais tanta certeza. Quando Susannah voltou a ficar doente, minha mãe entrou no automático, fazendo o que precisava ser feito. Mas estava presente. Outro dia, desci e a encontrei varrendo o hall de entrada. Ela estava com os olhos vermelhos, e eu fiquei com medo. Minha mãe não era do tipo que chora. Vê-la daquele jeito, como uma pessoa comum, e não apenas minha mãe, quase me fez não confiar mais nela.

Mamãe largou o ferro de passar, pegou a bolsa do balcão e tirou a carteira de dentro.

— Compre um pote de sorvete Ben & Jerry's para a Taylor, por minha conta — disse, me dando uma nota de vinte dólares.

— Obrigada — falei, pegando a nota e a enfiando no bolso.

O dinheiro seria útil para a gasolina.

— Divirta-se — disse ela, parecendo meio fora do ar logo em seguida.

Estava ausente. Passando a mesma calça cáqui que tinha acabado de passar.

No meu carro, dirigindo, finalmente me permiti sentir alívio. Sem mãe silenciosa e triste por hoje. Eu detestava deixá-la e detestava estar perto dela, porque ela me fazia lembrar do que eu mais queria esquecer. Susannah estava morta e não ia voltar, e nenhum de nós voltaria a ser como antes.

7

NA CASA DE TAYLOR, A PORTA DA FRENTE QUASE NUNCA ESTAVA TRANcada. A escada que levava até ela, com o longo corrimão e os degraus de madeira polida, era tão familiar como a da minha própria residência.

Depois de entrar, fui direto para o quarto dela.

Taylor estava deitada de barriga para baixo, folheando revistas de fofoca. Assim que me viu, sentou-se e perguntou:

— Você é masoquista ou o quê?

Atirei a mochila no chão e me sentei ao seu lado. Eu tinha ligado quando estava a caminho. Contei tudo a ela. Não queria, mas acabei contando.

— Por que você está indo atrás dele? — insistiu. — Esse cara não é mais seu namorado.

— Como se algum dia tivesse sido — falei, soltando um suspiro.

— É exatamente isso que eu quero dizer.

Ela folheou uma revista e a passou para mim.

— Dá uma olhada. Você ficaria ótima com esse biquíni. O da faixa branca. Ia ficar lindo com seu bronzeado.

— Jeremiah vai chegar daqui a pouco — afirmei, olhando para a revista e empurrando-a de volta.

Não consegui me imaginar usando aquele biquíni. Mas podia ver Taylor com ele.

— Você devia *muito* ter escolhido o Jeremy, Belly. Conrad é muito doido.

Eu tinha dito a ela um milhão de vezes como não era algo simples escolher um ou outro. Nada era simples assim. Nem era como se eu tivesse tido escolha, na verdade.

— Conrad não é doido, Taylor.

Ela nunca o perdoou por ele não ter gostado dela no verão em que a levei a Cousins, nos nossos quatorze anos. Era comum todos os garotos gostarem dela, e Taylor não estava acostumada a ser ignorada. E foi exatamente o que Conrad fez. Mas não Jeremiah. Assim que ela piscou os grandes olhos castanhos para ele, Jere ficou caidinho. *Jeremy*, como ela o chamava — daquele jeito provocante que os garotos adoram. Jeremiah caiu completamente, também, até ela o trocar pelo meu irmão, Steven.

— Tudo bem, talvez eu tenha sido *um pouco* dura demais — retrucou ela, fazendo beicinho. — Talvez ele não seja doido. Mas, tipo, e aí? Você vai estar sempre à disposição? Esperando sempre que ele quiser?

— Não! Mas Conrad está com algum problema. Precisa dos amigos, agora mais do que nunca — falei, puxando um fio solto do tapete. — Não importa o que aconteceu entre nós, sempre seremos amigos.

Ela revirou os olhos.

— Que seja. O único motivo pelo qual estou concordando com isso é para você colocar um ponto final nessa história toda.

— Um ponto final?

— É. Eu já percebi que é o único jeito. Você precisa ficar frente a frente com o Conrad e dizer a ele que o superou e que não vai mais entrar nesses joguinhos. E só então você vai conseguir deixar esse bundão pra trás.

— Taylor, eu também não sou inocente nessa história. — Engoli em seco. — Na última vez que o vi, falei coisas horríveis.

— Que seja. O que eu quero dizer é que você precisa seguir em frente. Ir atrás de quem vale a pena. — Ela olhou para mim. — Como o Cory. Que, por sinal, duvido que dê mais uma chance pra você depois de ontem à noite.

A noite passada parecia ter acontecido mil anos atrás. Fiz o possível para parecer arrependida e disse:

— Olha só, obrigada de novo por concordar que eu deixe meu carro aqui. Se minha mãe ligar...

— Por favor, Belly. Vê se me respeita. Ao contrário de você, eu sou a rainha de mentir para os pais. — Ela franziu o nariz. — Você vai estar de volta a tempo para amanhã à noite, né? Nós todos vamos sair no barco dos pais do Davis, lembra? Você prometeu.

— Isso vai ser só lá pelas oito ou nove da noite. Tenho certeza de que vou estar de volta a essa altura. Além disso — observei —, eu nunca *prometi* nada.

— Então prometa agora — ordenou ela. — Prometa que vai estar de volta a tempo.

Revirei os olhos.

— Por que você quer tanto que eu volte? Pra jogar o Cory Wheeler pra cima de mim de novo? Você não precisa de mim, Taylor. Você tem o Davis.

— Eu preciso muito de você, mesmo que você seja uma melhor amiga horrorosa. Namorados não são a mesma coisa que melhores amigas, e você sabe disso. Logo estaremos na faculdade, sabe? E se formos para universidades diferentes? E aí?

Ela me encarou, os olhos acusadores.

— Está bem, está bem, eu prometo.

Taylor ainda estava decidida a irmos para a mesma faculdade, como sempre dissemos que faríamos.

Estendeu a mão para mim e enganchamos os mindinhos.

— Você vai vestida assim? — perguntou de repente.

— Vou, sim — respondi, olhando para meu vestidinho cinza.

Ela balançou a cabeça tão rápido que o cabelo loiro se agitou para todos os lados.

— Isso é o que você vai vestir para ver o Conrad *pela primeira vez*?

— Não estou indo para um encontro, Taylor.

— Quando vamos ver um ex, precisamos estar melhores do que nunca. É, tipo, a regra número um dos términos de namoro. Você precisa fazer ele pensar: *Caramba, como eu perdi isso?* Tem que ser assim.

Eu não tinha pensado nisso.

— Eu não me importo com o que ele pensa — retruquei.

Taylor já estava revirando minha mochila.

— Tudo que você tem aqui é roupa íntima e camiseta. E esta regata velha. Arg. Eu detesto esta regata. Ela precisa ser oficialmente aposentada.

— Pode parar. Não fique mexendo nas minhas coisas.

Taylor se levantou de um salto, parecendo muito animada.

— Ah, por favor, deixe eu arrumar sua mala, Belly! Por favor, eu ia ficar muito feliz.

— Não — respondi, com o máximo de firmeza possível.

Com Taylor, era preciso ser firme.

— Eu provavelmente vou estar de volta amanhã. Não preciso de mais nada.

Taylor me ignorou e desapareceu dentro do closet.

Meu celular tocou, e era Jeremiah. Antes de atender, falei:

— Estou falando sério, Tay.

— Não esquenta, está tudo sob controle. Só me considere sua fada madrinha — retrucou, de dentro do armário.

Atendi o celular.

— Oi. Onde você está?

— Estou bem perto. A mais ou menos uma hora daí. Você está na casa da Taylor?

— Estou. Precisa do endereço de novo?

— Não, pode deixar.

Ele fez uma pausa e, por um instante, achei que já tivesse desligado. Então completou:

— Obrigado por fazer isso.

— Ah, qual é.

Pensei em dizer mais alguma coisa, tipo como ele era um dos meus melhores amigos e como parte de mim estava quase feliz por ter um motivo para vê-lo de novo. Simplesmente não seria verão sem os garotos da Beck.

Mas não consegui organizar as palavras na cabeça e, antes que eu conseguisse dizer qualquer coisa, ele desligou.

Quando finalmente saiu do closet, Taylor estava fechando minha mochila.

— Tudo pronto — anunciou, alegremente.

— Taylor...

Tentei pegar a mochila dela.

— Não, espere chegar onde quer que esteja indo. Você vai me agradecer. Fui *muito* generosa, apesar de você estar me deixando completamente abandonada.

Ignorei a última parte e só agradeci:

— Obrigada, Tay.

— De nada — respondeu ela, conferindo o cabelo no espelho da penteadeira. — Está vendo como você precisa de mim?

Taylor me encarou, as mãos na cintura.

— Como vocês dois planejam encontrar o Conrad, afinal? Até onde sabem, ele pode estar debaixo de uma ponte por aí.

Eu não havia pensado muito nessa parte, nos detalhes práticos.

— Tenho certeza de que Jeremiah pensou em alguma coisa — respondi.

Jeremiah chegou uma hora depois, exatamente como disse ao celular. Vimos da janela da sala de estar quando ele estacionou na entrada de carros circular da casa de Taylor.

— Ah, meu Deus, ele está tão gatinho — comentou ela, correndo até a cômoda para passar gloss nos lábios. — Por que você não me disse que ele tinha ficado tão gato?

A última vez que Taylor tinha visto Jeremiah, ele estava mais baixo e magricela. Não era de se estranhar que tivesse ido atrás de Steven em vez dele. Mas, para mim, ele era só Jeremiah.

Peguei minha mochila e saí da casa, com Taylor logo atrás.

Quando abri a porta da frente, ele estava de pé na escada da entrada. Usava o boné do Red Sox, e seu cabelo estava mais curto do que da última vez que eu o vira. Foi estranho vê-lo ali, na porta da casa da Taylor. Surreal.

— Ia ligar para você agora — comentou, tirando o boné.

Era um garoto que não tinha medo de o cabelo ficar amassado pelo boné, de parecer bobo. Era uma das qualidades mais encantadoras dele; a que eu mais admirava porque eu basicamente vivia com um medo constante de passar vergonha.

Queria abraçá-lo, mas, por algum motivo — talvez por ele não ter vindo ao meu encontro primeiro, talvez porque de repente estava me sentindo um pouco tímida —, eu me contive. Ao invés disso, falei:

— Você chegou bem rápido.

— Corri feito louco — explicou. E cumprimentou: — E aí, Taylor?

Ela ficou na ponta dos pés e o abraçou, e eu me arrependi de não ter feito o mesmo.

Quando se afastou, Taylor o examinou com ar de aprovação e disse:

— Jeremy, você está lindo.

Então sorriu para ele, esperando que ele também a elogiasse. Como ele não disse nada, ela comentou:

— Essa foi a sua deixa para me dizer como eu estou bonita. Dã.

Jeremiah riu.

— A mesma Taylor de sempre. Você sabe que está bonita, não precisa que eu diga.

Os dois sorriram.

— É melhor a gente ir — falei.

Ele pegou minha mochila do ombro, e nós o seguimos até o carro. Enquanto ele guardava minha mochila no porta-malas, Taylor me agarrou pelo cotovelo, dizendo:

— Não esqueça de me ligar quando chegarem aonde quer que estejam indo, Cinderbelly.

Ela me chamava assim quando éramos pequenas, quando estávamos obcecadas pela Cinderela. Ela cantava junto com os ratinhos: *Cinderbelly, Cinderbelly.*

De repente, senti uma onda de afeto por Taylor. Nostalgia, uma história compartilhada, isso valia muito. Mais do que eu imaginava. Sentiria falta dela no ano seguinte, quando cada uma iria para uma universidade diferente.

— Obrigada por concordar que eu deixasse meu carro aqui, Tay.

Ela assentiu. E então sussurrou: *PONTO FINAL*, hein?

— Tchau, Taylor — disse Jeremiah, entrando no carro.

Entrei também. O carro dele estava uma bagunça, como sempre. Havia garrafas de água vazias por todo chão e no banco traseiro.

— Tchau — falei, quando começamos a nos afastar.

Ela ficou lá parada, acenando e nos observando partir. Gritou em resposta:

— Não se esqueça da sua promessa, Belly!

— O que você prometeu? — perguntou Jeremiah, olhando pelo retrovisor.

— Prometi estar de volta a tempo para a festa de Quatro de Julho que o namorado dela vai fazer. Vai ser em um barco.

Jeremiah assentiu.

— Você vai voltar a tempo, não se preocupe. Com sorte, trarei você de volta ainda esta noite.

— Ah. Tudo bem.

Pensei que não ia precisar daquela mochila para passar a noite fora, afinal.

Então ele comentou:

— A Taylor não mudou nada.

— É, acho que não.

E nenhum de nós disse mais nada. Simplesmente ficamos em silêncio.

8

Jeremiah

Consigo dizer exatamente o instante em que tudo mudou. Foi no verão passado. Con e eu estávamos sentados na varanda, e eu tentava conversar com ele sobre como o novo assistente do treinador de futebol americano era um idiota.

— Então cai fora — sugeriu.

Era fácil para ele dizer isso. Ele ia largar o futebol.

— Você não está entendendo, esse cara é maluco — comecei a dizer, mas Conrad não estava mais ouvindo.

Eles haviam acabado de virar na entrada de carros. Steven saiu primeiro. Depois, Laurel. Ela perguntou onde minha mãe estava e me deu um abraço apertado. Em seguida abraçou Conrad, e comecei a perguntar: "Ei, cadê a Belly Bola?" E lá estava ela.

Conrad a viu primeiro. Estava olhando por cima do ombro da Laurel. Para ela. Que veio na nossa direção. O cabelo dela balançava por todo lado, e as pernas pareciam quilométricas.

Ela estava usando um short que claramente havia sido uma calça e tênis sujos. A alça do sutiã aparecia por baixo da regata. Juro que nunca tinha notado a alça do sutiã antes. Ela estava com uma expressão estranha, eu não reconhecia bem o que era. Como se estivesse tímida e nervosa, mas ao mesmo tempo orgulhosa.

Fiquei observando Conrad abraçá-la, esperando pela minha vez. Queria perguntar o que ela estava pensando, por que estava com aquela cara. Mas não perguntei nada. Contornei Conrad, a agarrei e falei alguma bobagem. O que eu disse a fez rir, e então ela voltou a ser a Belly de sempre. E isso foi um alívio, porque eu não queria que ela fosse qualquer outra coisa além dela mesma.

Eu convivi com ela minha vida inteira. Nunca havia pensado nela como uma garota. Ela era uma de nós. Era minha amiga. Vê-la de um jeito diferente, ainda que apenas por um instante, mexeu comigo.

Meu pai costumava dizer que, para tudo na vida, há um momento em que o jogo vira. Aquele instante que determina todo o resto, mas dificilmente sabemos disso na hora. A cesta de três pontos no segundo tempo que muda todo o ritmo da partida. Que faz as pessoas acordarem e as traz de volta à vida. Tudo se relaciona com aquele momento.

Eu posso ter me esquecido a respeito do instante em que o carro deles chegou e aquela menina saiu, uma garota que eu mal reconheci. Poderia ter sido apenas uma daquelas coisas. Você sabe, como quando uma pessoa faz contato visual com a gente ou sentimos uma lufada de perfume ao passar pela rua. Nós continuamos andando. E nos esquecemos. Talvez eu tenha me esquecido. As coisas poderiam ter voltado a ser como antes.

Mas daí veio o momento de virada do jogo.

Era de noite, talvez na primeira semana do verão. Belly e eu estávamos perto da piscina, e ela estava rindo de alguma coisa que eu tinha dito, mas não me lembro o quê. Eu adorava fazê-la rir. Embora ela risse muito, e isso não fosse um grande feito, a sensação era ótima. Ela disse:

— Jere, você é, tipo, a pessoa mais engraçada que eu conheço!

Foi um dos melhores elogios que já recebi. Mas esse não foi o momento em que o jogo virou.

Isso aconteceu a seguir. Eu estava me levantando, imitando Conrad quando acorda de manhã. Uma coisa meio Frankenstein. Então Conrad saiu e se sentou ao lado dela na espreguiçadeira. Ele puxou o rabo de cavalo dela e perguntou:

— O que é tão engraçado?

Belly olhou para ele, com o rosto vermelho. Ela estava toda vermelha, com os olhos brilhando. E respondeu:

— Eu não me lembro.

Senti meu estômago revirar. Foi como se alguém tivesse acabado de me dar um chute na barriga. Eu estava com ciúme, morrendo de ciúme. Do Conrad. E, quando ela se levantou, um pouco depois, para pegar um refrigerante, eu o vi observando-a se afastar e fiquei enjoado.

Foi quando eu soube que as coisas nunca mais seriam as mesmas.

Queria dizer a Conrad que ele não tinha o direito. Que ele a tinha ignorado todos aqueles anos, que não podia simplesmente decidir ficar com ela só porque sentiu vontade.

Ela era de todos nós. Minha mãe a adorava. Chamava Belly de sua filha secreta. Passava o ano todo ansiosa para vê-la. Embora desse muito trabalho ao irmão, Steven era bastante protetor com ela. Todo mundo tomava conta de Belly, ela só não sabia disso. Estava ocupada demais olhando para Conrad. Desde que qualquer um de nós era capaz de lembrar, ela era apaixonada por ele.

Eu só queria que ela olhasse para mim daquele jeito. Depois daquele dia, eu estava ferrado. Eu não gostava dela só como amiga. Talvez eu até estivesse apaixonado.

Houve outras garotas. Mas nenhuma como ela.

Eu não queria ligar para Belly para pedir ajuda. Estava furioso com ela. Não apenas por ela ter escolhido Conrad, isso já não era novidade. Ela sempre o escolheria. Mas nós dois éramos amigos. Quantas vezes ela havia me ligado desde que minha mãe morrera? Duas? Mandado algumas mensagens de texto e alguns e-mails?

Mas, sentado no carro ao seu lado, sentindo aquele cheiro de Belly Conklin (sabonete Ivory, coco e açúcar), vendo a maneira como ela franzia o nariz ao pensar, o sorriso nervoso e as unhas das mãos roídas... O jeito que ela dizia meu nome.

Quando ela se inclinou para a frente para arrumar as palhetas do ar-condicionado, seu cabelo roçou na minha perna, e estava muito macio. A sensação fez eu me lembrar de tudo novamente. E aquilo só tornava mais difícil eu continuar bravo com ela e mantê-la a distância, como eu havia planejado. Era basicamente impossível. Quando estava perto dela, só queria agarrar, abraçar e beijar Belly loucamente. Talvez assim ela enfim esquecesse o idiota do meu irmão.

9

— E ENTÃO, AONDE ESTAMOS INDO? — PERGUNTEI A JEREMIAH.

Tentei captar seu olhar, fazer com que ele me encarasse pelo menos por um segundo. Parecia que Jere não tinha fitado meus olhos desde que chegara, e isso estava me deixando nervosa. Eu precisava saber que estava tudo bem entre nós dois.

— Não sei — respondeu. — Faz um tempo que não falo com o Con. Não faço ideia de para onde pode ter ido. Eu tinha esperança de que você conseguisse pensar em alguma coisa.

Acontece que eu não conseguia. Não mesmo. Nenhuma ideia, para falar a verdade. Pigarreei.

— Conrad e eu não nos falamos desde... desde maio.

Jeremiah olhou para mim de lado, mas não comentou nada. Eu me perguntei o que Conrad havia contado a ele. Provavelmente não muita coisa.

Continuei falando, porque ele não disse nada.

— Você já ligou para o colega de quarto dele?

— Não tenho o número do cara. Não sei nem o nome dele.

— Ele se chama Eric — respondi, depressa, satisfeita por saber pelo menos isso. — É o mesmo colega de quarto do ano letivo. Eles ficaram no mesmo quarto para o curso de verão. Então, ahn, acho que é para lá que temos que ir. Vamos para a Brown. Vamos conversar com o Eric, com as pessoas do alojamento dele. Quem sabe ele não está pelo campus?

— Parece que temos um plano.

Enquanto olhava pelo retrovisor e trocava de pista, ele me perguntou:

— Você visitou o Con na faculdade?

— Não — respondi, olhando pela janela.

Era algo bem constrangedor de admitir.

— Você visitou?

— Meu pai e eu o ajudamos a ajeitar as coisas no alojamento. — Então, quase relutante, ele acrescentou: — Obrigado por ter vindo.

— Claro.

— Laurel não se importou?

— Ah, claro que não — menti. — Fico feliz que pude vir.

Eu passava o ano inteiro esperando ansiosamente para ver Conrad. Costumava desejar a chegada do verão do jeito que as crianças anseiam pelo Natal. Era só naquilo que eu pensava. Mesmo agora, mesmo depois de tudo, era só nele que eu pensava.

Mais tarde, liguei o rádio para preencher o silêncio.

Teve uma hora que achei que havia escutado Jere começar a dizer alguma coisa e perguntei:

— Você disse alguma coisa?

Mas ele só respondeu:

— Não.

Por um tempo, apenas andamos de carro. Jeremiah e eu nunca ficávamos sem assunto. Mas ali estávamos, sem dizer uma palavra sequer.

Finalmente, ele resolveu puxar conversa:

— Vi a Nona na semana passada. Passei pela casa de repouso em que ela está trabalhando.

Nona era a enfermeira de Susannah. Eu encontrara com ela algumas vezes. Era uma mulher engraçada e forte. Era pequena, com menos de 1,60 metro, com pernas e braços esguios, mas eu a vi levantar Susannah como se ela não pesasse nada. Bem, mais para o final, acho que ela não pesava quase nada mesmo.

10

QUANDO SUSANNAH FICOU MUITO DOENTE DE NOVO, NINGUÉM ME contou imediatamente. Nem Conrad, nem minha mãe, nem a própria Susannah. Tudo aconteceu muito rápido.

Eu tentei me livrar de ir ver Susannah naquela última vez. Disse à minha mãe que tinha uma prova de trigonometria que ia valer um quarto da nota. Eu teria dito qualquer coisa para não precisar passar por aquela situação.

— Vou ter que estudar o fim de semana todo. Não posso ir. Quem sabe no próximo fim de semana? — falei, pelo telefone. Tentei fazer minha voz parecer casual, e não desesperada. — Está bem?

— Não. Não está bem — retrucou minha mãe, imediatamente. — Venha neste fim de semana. Susannah quer ver você.

— Mas...

— Sem mas... — interrompeu ela, com a voz firme. — Já comprei sua passagem de trem. Vejo você amanhã.

No trem, a caminho de Boston, fiz um esforço imenso para pensar em coisas que poderia dizer quando visse Susannah. Eu ia contar a ela como as aulas de trigonometria estavam difíceis, como Taylor estava apaixonada, como eu estava pensando em concorrer ao posto de representante de turma, o que era mentira. Eu não ia me candidatar, mas sabia que Susannah gostaria de ouvir isso. Eu contaria todas essas coisas a ela, e não perguntaria nada sobre Conrad.

Minha mãe me buscou na estação de trem. Quando entrei no carro, ela disse:

— Que bom que você veio. Não se preocupe, Conrad não está aqui.

★ ★ ★

Não respondi nada, só fiquei olhando fixamente pela janela. Eu estava brava com ela, e sem razão, por ter me obrigado a ir. Não que ela se importasse com isso. Minha mãe simplesmente continuou falando:

— Já vou avisando que a Beck não está bem. Está cansada. Está muito cansada, mas empolgada por ver você.

Assim que minha mãe disse as palavras "a Beck não está bem", fechei os olhos. Detestei a mim mesma por estar com medo de vê-la, por não a visitar com mais frequência. Mas eu não era como minha mãe, forte e resistente feito aço. Ver Susannah daquele jeito era difícil demais para mim. Ela parecia apenas fragmentos de si mesma, de quem costumava ser, desmoronando mais e mais a cada vez. Vê-la daquele jeito tornava a situação real.

Quando paramos na entrada de carros, Nona estava do lado de fora fumando um cigarro. Eu a conhecera umas duas semanas antes, quando Susannah voltou para casa. Nona tinha um aperto de mão intimidante. Quando saímos do carro, ela estava passando álcool gel nas mãos e spray purificador de ar no uniforme, como se fosse uma adolescente fumando escondida, embora Susannah não se importasse. Ela adorava cigarros de vez em quando, mas não podia mais fumar. Só maconha às vezes.

— Bom dia — cumprimentou Nona, acenando.

— Bom dia — respondemos.

Ela estava sentada na varanda.

— Que bom ver você — disse para mim. Para minha mãe, falou: — Susannah está prontinha e esperando por vocês duas no andar de baixo.

Minha mãe se sentou ao lado de Nona.

— Belly, entre primeiro. Vou bater um papo com a Nona.

E por "bater um papo", eu sabia que ela queria dizer que ia fumar um cigarro. Ela e Nona haviam desenvolvido uma ótima relação.

Nona era pragmática e também intensamente espiritualizada. Convidou minha mãe para ir à igreja e, embora minha mãe não fosse nem um pouco religiosa, ela foi. No começo, achei que tivesse sido apenas para agradar Nona, mas, daí, quando ela começou a ir à igreja sozinha perto de casa, me dei conta de que era mais do que isso. Ela estava em busca de algum tipo de paz.

— Sozinha? — perguntei, e me arrependi imediatamente.

Não queria que nenhuma das duas me julgasse por estar com medo. Eu mesma já estava me julgando.

— Ela está esperando por você — disse minha mãe.

E estava mesmo. Susannah estava sentada na sala de estar, usando roupas de verdade, em vez de pijama. Estava maquiada. O blush tom de pêssego berrante contrastava com a pele branca como giz. Ela se esforçara por mim. Para não me assustar. Então, fingi não estar assustada.

— Minha menina favorita — cumprimentou ela, abrindo os braços.

Eu a abracei, com o máximo de cuidado possível, e disse que ela parecia muito melhor. Menti.

Ela disse que Jeremiah só chegaria em casa mais tarde naquela noite, e que nós, as garotas, teríamos a casa toda só pra gente pelo resto da tarde.

Então minha mãe entrou, mas nos deixou a sós. Havia passado pela sala para dar um oi rápido e foi preparar o almoço enquanto nós duas conversávamos.

Assim que minha mãe saiu da sala, Susannah disse:

— Se você está preocupada em esbarrar com o Conrad, não fique, querida. Ele não vai estar aqui neste fim de semana.

Engoli em seco.

— Ele contou pra você?

Ela meio que deu risada.

— Aquele garoto não me conta nada. Sua mãe comentou que o baile não foi... tão bem quanto a gente esperava. Eu sinto muito, querida.

— Ele terminou comigo — contei.

Era mais complicado do que isso, mas, resumindo, foi o que aconteceu. Aconteceu porque ele quis que acontecesse. Sempre coube a ele, sempre foi ele que decidiu se ficaríamos juntos ou não.

Susannah pegou minha mão e a segurou.

— Não odeie o Conrad — pediu.

— Eu não o odeio.

Era mentira. Eu o odiava mais que qualquer outra coisa. Eu o amava mais que qualquer outra coisa. Porque ele *era* tudo para mim. E eu também odiava isso.

— Conrad está tendo muita dificuldade para lidar com toda essa situação. É demais pra ele.

Ela fez uma pausa e afastou meu cabelo do rosto, a mão pairando sobre minha testa, como se eu estivesse com febre. Como se fosse eu quem estivesse doente, que precisasse ser reconfortada.

— Não deixe ele afastar você. Conrad precisa de você. Ele te ama, sabia?

Balancei a cabeça.

— Não ama, não.

Mentalmente, acrescentei: *A única pessoa que Conrad ama é ele mesmo. E você.*

Ela fingiu que não tinha escutado.

— Você o ama?

Como não respondi, Susannah assentiu, como se eu tivesse respondido.

— Você me faz um favor?

Lentamente, assenti.

— Cuide dele pra mim. Pode fazer isso?

— Você não vai precisar que eu cuide dele, Susannah. Você vai estar aqui pra fazer isso — retruquei, tentando não parecer muito desesperada, mas não tinha importância.

Ela sorriu.

— Você é a minha garota, Belly.

Depois do almoço, Susannah dormiu um pouco. Ela só acordou no fim da tarde e, quando despertou, estava nervosa e desorientada. Falou de um jeito agressivo com minha mãe, o que me deixou apavorada. Susannah nunca fazia isso com ninguém. Nona tentou colocá-la na cama e, no começo, Susannah recusou, mas acabou aceitando. A caminho do quarto, me deu uma piscadela desanimada.

Jeremiah chegou em casa na hora do jantar. Fiquei aliviada ao vê-lo. Ele tornava tudo mais leve, mais fácil. Só de ver seu rosto, senti parte da tensão desaparecer.

Ele entrou na cozinha e disse:

— Que cheiro de queimado é esse? Ah, a Laurel está cozinhando. Oi, Laurel!

Minha mãe bateu nele com um pano de prato. Jere desviou e começou a destampar as panelas com ar divertido.

— Oi, Jere — cumprimentei.

Eu estava sentada em uma banqueta alta, cortando vagens.

Ele olhou para mim e disse:

— Ah, oi. Tudo bem?

Então se aproximou e me deu um abraço rápido. Tentei procurar em seus olhos alguma pista de como ele estava se sentindo, mas Jere não deixou. Ficou o tempo todo indo para lá e para cá, brincando com Nona e minha mãe.

De alguma maneira, ele continuava a ser o mesmo Jeremiah, mas, de outra, dava para ver como aquilo o havia modificado, o deixado mais velho. Tudo precisava de mais esforço: as brincadeiras, os sorrisos. Nada mais era fácil.

11

Pareceu passar uma eternidade até Jeremiah falar de novo. Eu estava fingindo dormir, e ele batucava os dedos no volante. De repente, disse:

— Esta foi minha música no baile de fim de ano.

Imediatamente, abri os olhos e perguntei:

— A quantos bailes de fim de ano você já foi?

— No total? Cinco.

— O quê? Está bem, certo. Não acredito em você — falei, embora acreditasse.

É claro que ele tinha ido a cinco bailes. Jeremiah era exatamente esse tipo de cara: aquele com quem todas as meninas querem ir. Ele saberia fazer uma garota se sentir a rainha da festa, mesmo que ela não fosse ninguém.

Ele começou a contar nos dedos.

— No primeiro ano, fui a dois: o meu e o da Flora Martinez, no Sacred Heart. Este ano, fui ao meu e a outros dois. O da Sophia Franklin no...

— Está bem, está bem. Entendi. Você é muito disputado.

Eu me inclinei para a frente e mexi no controle do ar-condicionado.

— Precisei comprar um smoking, porque saía mais barato do que ficar alugando a cada festa — explicou.

Jeremiah olhava fixamente para a frente, e então disse a última coisa que eu esperaria que ele dissesse:

— Você estava bonita no seu. Gostei do seu vestido.

Eu o encarei. Conrad tinha mostrado nossas fotos a ele? Será que tinha contado alguma coisa?

— Como você sabe?

— Minha mãe colocou uma das fotos em um porta-retratos.

Não esperava que ele mencionasse Susannah. Pensei que os bailes seriam um assunto seguro.

— Fiquei sabendo que você foi o rei do baile no seu — falei.

— É.

— Aposto que foi divertido.

— É, foi bem divertido.

Eu devia ter levado Jeremiah para o meu baile. Se tivesse sido ele, as coisas teriam sido diferentes. Ele teria dito todas as coisas certas. Ele iria para o meio da pista de dança fazer todos aqueles passinhos bobos que costumava ensaiar quando víamos MTV. Ele teria lembrado que margaridas são minhas flores preferidas e teria ficado amigo do namorado da Taylor, o Davis, e todas as outras garotas teriam ficado olhando, desejando que ele estivesse com elas.

12

DESDE O COMEÇO, EU SOUBE QUE NÃO SERIA FÁCIL FAZER CONRAD IR. Ele não era o tipo de pessoa que ia a bailes. Mas eu não me importava, só queria que ele fosse comigo, que fosse meu par. Fazia sete meses desde a primeira vez que a gente tinha se beijado. Dois meses desde a última vez que eu o vira. Uma semana desde a última vez que ele tinha me ligado.

Ser o par do baile de fim de ano de alguém é determinante. É mais real. E eu tinha essa fantasia a respeito do baile de fim de ano na minha cabeça, de como seria. Do modo como ele olharia para mim, de como, quando a gente dançasse uma música lenta, ele colocaria a mão na base das minhas costas. De como comeríamos batata frita com queijo na lanchonete, depois da festa, e veríamos o sol nascer do teto do carro dele. Eu já tinha tudo planejado, já sabia tudo que ia acontecer.

Quando liguei, naquela noite, ele parecia ocupado. Mas segui em frente mesmo assim. Perguntei:

— O que você vai fazer no primeiro fim de semana de abril?

Minha voz estremeceu quando disse a palavra "abril". Eu estava com muito medo de ele dizer não. Na verdade, lá no fundo, eu meio que esperava que ele fizesse isso.

Conrad perguntou, hesitante:

— Por quê?

— É meu baile de fim de ano.

Ele suspirou.

— Belly, eu detesto bailes.

— Eu sei. Mas é meu baile de fim de ano, e eu quero muito ir, e quero que você vá comigo.

Por que ele precisava tornar tudo tão difícil?

— Estou na faculdade agora — lembrou ele. — Eu não quis ir nem ao meu próprio baile.

Em um tom alegre, respondi:

— Bom, está vendo, mais um motivo pra você ir ao meu.

— Você não pode simplesmente ir com suas amigas?

Fiquei quieta.

— Me desculpe, eu realmente não estou a fim de ir. As provas finais estão chegando, e vai ser difícil dirigir até aí só pra passar uma noite.

Então ele não podia fazer uma coisa por mim, para me deixar feliz. Ele não estava a fim. Legal.

— Tudo bem. Tem muitos outros caras com quem eu posso ir. Sem problema.

Pude escutar a cabeça dele maquinando do outro lado da linha.

— Deixa pra lá. Eu vou com você — disse, por fim.

— Quer saber? Nem se preocupa com isso — retruquei. — O Cory Wheeler já me convidou. Posso dizer a ele que mudei de ideia.

— Quem é Corky Wheeler?

Sorri. Ele estava na minha mão. Ou pelo menos eu achava isso. Respondi:

— Cory Wheeler. Joga futebol com o Steven. Ele dança bem e é mais alto que você.

Mas então Conrad alfinetou:

— Então acho que você vai poder usar salto.

— É, acho que sim.

Desliguei. Será que era muito pedir a ele que fosse meu par no baile de fim de ano? Era só uma noite, droga! E eu tinha mentido a respeito de Cory Wheeler: ele não havia me convidado. Mas sabia que me convidaria, se eu o deixasse achar que queria ir com ele.

Na cama, debaixo da colcha, chorei um pouco. Tinha uma noite de baile perfeita na cabeça: Conrad de terno e eu com o vestido lilás que minha mãe comprara, dois verões antes, depois de eu implorar muito. Ele nunca tinha me visto toda arrumada, nem de salto, aliás. Eu queria muito, muito que ele me visse assim.

Mais tarde, Conrad ligou, e eu deixei a chamada cair direto na caixa postal. Na mensagem, ele disse:

— Oi. Desculpa por antes. Não vá com Cory Wheeler ou qualquer outro carinha. Eu vou. E você vai poder usar salto mesmo assim.

Eu devo ter escutado a mensagem pelo menos umas trinta vezes. De qualquer modo, eu nunca realmente escutei o que ele estava de fato dizendo: ele não queria que eu fosse com outro, mas também não queria ir comigo.

Usei o vestido lilás. Minha mãe ficou satisfeita, deu para perceber. Também usei o colar de pérolas que Susannah tinha me dado no aniversário de dezesseis anos, e isso também a deixou satisfeita. Taylor e todas as outras garotas estavam arrumando os cabelos em um salão de beleza chique. Decidi eu mesma arrumar o meu. Fiz cachos soltos, e mamãe me ajudou com a parte de trás. Acho que ela não arrumava meu cabelo desde o segundo ano, quando fazia tranças em mim todos os dias. Ela era boa com o modelador de cachos. Mas minha mãe era boa com a maior parte das coisas.

Assim que ouvi o carro dele na entrada de carros, corri até a janela. Conrad estava lindo de terno preto. Eu nunca tinha visto aquela roupa antes.

Desci a escada correndo e abri a porta da frente antes que ele tocasse a campainha. Não consegui deixar de sorrir e estava prestes a atirar os braços ao seu redor quando ele disse:

— Você está bonita.

— Obrigada — falei, e meus braços caíram ao lado do corpo. — Você também.

Devemos ter tirado uma centena de fotos em casa. Susannah disse que queria provas fotográficas de Conrad usando terno e de mim naquele vestido. Minha mãe a manteve falando ao celular conosco. Deu o aparelho primeiro para Conrad e, o que quer que ela tenha dito, ele respondeu "eu prometo". Me perguntei o que ele estaria prometendo.

Também me perguntei se um dia Taylor e eu estaríamos assim — ao telefone enquanto nossos filhos se aprontavam para ir a um baile de fim de ano. A amizade entre minha mãe e Susannah tinha atravessado décadas e sobrevivido a filhos e maridos. Eu me perguntava se minha amizade com Taylor seria tão resistente quanto a das duas. Algo durável e impenetrável. De algum modo, eu duvidava disso. O que elas tinham era muito raro.

A mim, Susannah perguntou:
— Você arrumou o cabelo daquele jeito que falamos?
— Arrumei.
— Conrad disse quanto você está linda?
— Disse, sim — respondi, embora ele não tivesse dito isso. Não exatamente.
— Esta noite vai ser perfeita — ela me prometeu.

Minha mãe nos posicionou na escada da entrada da casa, na escada interna, ao lado da lareira. Steven estava lá com Claire Cho, seu par. Os dois deram risada o tempo todo e, quando eles tiraram suas fotos, Steven ficou atrás com os braços ao redor da cintura dela, que se recostou nele. Tudo muito fácil. Em nossas fotos, Conrad ficou parado tenso ao meu lado, com um dos braços ao redor dos meus ombros.

— Está tudo bem? — sussurrei.
— Está.

Ele sorriu, mas não acreditei nele. Alguma coisa havia mudado. Eu só não sabia o quê.

Dei a ele uma *boutonnière* de orquídea. Ele se esqueceu de trazer meu buquê. Disse que tinha deixado dentro da geladeira na faculdade. Não fiquei triste nem brava, fiquei sem graça. O tempo todo, eu sempre pensei demais em mim e Conrad como um casal. Mas eu havia precisado implorar para ele ir ao baile comigo, e ele nem sequer tinha se lembrado de me levar flores.

Notei que ele se sentiu péssimo quando percebeu, exatamente no instante em que Steven foi até a geladeira e voltou com um buquê de punho com minúsculas rosas cor-de-rosa para combinar com o vestido de Claire. Ele deu um buquê grande a ela também.

Claire tirou uma das rosas do seu buquê e me deu.

— Aqui — disse ela —, vamos fazer um buquê pra você.

Sorri para demonstrar gratidão.

— Tudo bem. Não quero fazer um buraco no vestido — falei.

Que bobagem. Ela não acreditou em mim, mas fingiu acreditar. E disse:

— Então que tal colocarmos no seu cabelo? Acho que vai ficar lindo no seu penteado.

— Claro — respondi.

Claire Cho era legal. Eu esperava que ela e Steven nunca terminassem. Esperava que os dois ficassem juntos para sempre.

Depois da história do buquê, Conrad ficou ainda mais tenso. No caminho até o carro, ele agarrou meu punho e disse, baixinho:

— Desculpe ter esquecido seu buquê. Eu devia ter me lembrado.

Engoli em seco e sorri sem abrir a boca.

— Como ele era?

— Uma orquídea branca. Minha mãe que escolheu.

— Bom, para o meu baile de formatura, é melhor você me trazer dois buquês para compensar. Vou usar um em cada punho.

Fiquei observando-o ao dizer isso. Ainda estaríamos juntos dali a um ano, não estaríamos? Era o que eu estava perguntando.

Seu rosto não mudou. Ele segurou meu braço e disse:

— O que você quiser, Belly.

No carro, Steven olhou para nós pelo retrovisor.

— Cara, não acredito que estou saindo para um encontro duplo com você e a minha irmã mais nova.

Ele balançou a cabeça e deu risada.

Conrad não fez nenhum comentário.

Eu já sentia a noite escapando entre os dedos.

★ ★ ★

O baile juntava as turmas dos formandos e do segundo ano. Era como nossa escola fazia. De certa maneira, era legal, porque assim a gente podia ir duas vezes ao baile. Os formandos podiam votar no tema, que, naquele ano, era A Hollywood dos Velhos Tempos. O baile era no Water Club, e tinha um tapete vermelho cheio de "paparazzi".

O comitê do baile havia contratado um daqueles pacotes de bailes de formatura. Custou uma fortuna, e a arrecadação de dinheiro foi feita durante toda a primavera. Havia uma porção de cartazes de filmes antigos nas paredes e um grande letreiro piscante escrito HOLLYWOOD. A pista de dança era para parecer um set de filmagens, com iluminação e uma câmera falsa sobre um tripé. Havia até uma cadeira de diretor de cinema em um dos lados.

Nós nos sentamos em uma mesa com Taylor e Davis. Com os saltos de dez centímetros que ela usava, os dois estavam da mesma altura.

Conrad deu um abraço em Taylor ao chegar, mas não se esforçou muito para conversar com ela ou com Davis. Estava desconfortável em seu terno, e só ficou sentado. Quando Davis abriu o paletó e mostrou o cantil prateado para Conrad, fiquei tensa. Talvez Conrad *estivesse* velho demais para aquilo tudo.

Então vi Cory Wheeler na pista de dança, no meio de uma roda de pessoas, entre elas meu irmão e Claire. Ele estava dançando break.

Eu me aproximei de Conrad e sussurrei:

— Aquele é o Cory.

— Quem é Cory? — perguntou.

Não acreditei que ele não se lembrasse. Simplesmente não consegui acreditar. Fiquei encarando Conrad por um instante, examinando seu rosto, e então me afastei, dizendo:

— Ninguém.

Depois de ficarmos sentados por alguns minutos, Taylor agarrou minha mão e avisou que íamos ao banheiro. Confesso que fiquei aliviada.

No banheiro, ela retocou o gloss nos lábios e sussurrou para mim:

— O Davis e eu vamos para o quarto do alojamento do irmão dele depois do pós-baile.

— Pra quê? — perguntei, ingênua, procurando pelo gloss na minha bolsinha.

Ela me emprestou o dela.

— Para, você sabe... Para ficarmos *sozinhos*.

Taylor arregalou os olhos para dar ênfase ao que estava dizendo.

— Sério? Nossa... Eu não sabia que você gostava tanto dele assim.

— Bom, você tem estado muito ocupada com todo o seu drama com o Conrad. Aliás, ele está um gato. Mas por que está sendo tão chato? Vocês dois brigaram?

— Não...

Eu não conseguia encará-la nos olhos, então continuei passando o gloss.

— Belly, não aceite nenhuma merda que ele fala. Esta é a noite do seu baile de fim de ano. E ele é seu namorado, não é?

Ela mexeu no cabelo e fez uma pose diante do espelho, com um biquinho.

— Pelo menos faça ele dançar com você.

Quando voltamos para a mesa, Conrad e Davis estavam conversando sobre o torneio da NCAA, e eu relaxei um pouco. Davis era superfã da Universidade de Connecticut, e Conrad gostava da Universidade da Carolina do Norte, em Chapel Hill. O melhor amigo do Sr. Fisher havia sido do time, e Conrad e Jeremiah eram grandes torcedores. Conrad era capaz de falar sobre o basquete de lá sem parar.

Então uma música lenta começou a tocar. Taylor pegou Davis pela mão e os dois seguiram para a pista de dança. Fiquei olhando os dois dançarem, a cabeça dela no ombro dele, as mãos dele nos quadris dela. Dali a pouco tempo, Taylor não seria mais virgem. Ela sempre disse que seria a primeira de nós duas a perder a virgindade.

— Está com sede? — perguntou Conrad.

— Não. Quer dançar?

Ele hesitou.

— Precisamos?

Tentei sorrir.

— Qual é, supostamente foi você quem me ensinou a dançar música lenta.

Conrad se levantou e me estendeu a mão.

— Então vamos dançar.

Dei a mão a ele e o acompanhei até o meio da pista. Dançamos uma música lenta, e fiquei grata que o som estivesse tão alto, para ele não conseguir escutar meu coração batendo.

— Sabe, estou muito feliz por você ter vindo — falei, olhando para ele.

— O quê?

Falei mais alto:

— Eu disse que estou feliz por você ter vindo.

— Eu também.

A voz dele soou estranha. Eu me lembro disso, da maneira como sua voz parecia embargada.

Embora Conrad estivesse bem na minha frente, com as mãos ao redor da minha cintura, as minhas mãos em seu pescoço, ele nunca pareceu tão distante.

Depois de dançar, voltamos à nossa mesa.

— Você quer ir a algum lugar?

— Bem, a festa pós-baile só começa à meia-noite — respondi, mexendo no colar de pérolas, que enrolei nos dedos.

Não conseguia olhar para ele.

— Não, quero dizer só você e eu — explicou Conrad. — Algum lugar onde a gente possa conversar.

De repente, fiquei zonza.

Se Conrad queria ir a algum lugar onde a gente pudesse ficar sozinho, onde a gente pudesse conversar, então é porque ele queria terminar comigo. Eu sabia.

— Não vamos a lugar nenhum, vamos só ficar aqui por um tempo — insisti, tentando não parecer desesperada.

— Tudo bem.

Então ficamos lá, sentados, olhando enquanto todos dançavam ao nosso redor, os rostos brilhando, a maquiagem escorrendo. Tirei a flor do cabelo e a guardei na bolsa.

Depois de passarmos um bom tempo em silêncio, perguntei:

— Sua mãe obrigou você a vir?

Partiu meu coração perguntar aquilo, mas eu precisava saber.

— Não — disse ele, mas esperou demais para responder.

No estacionamento, tinha começado a chuviscar. Meu cabelo, que eu havia passado a tarde toda cacheando, já estava ficando escorrido. Estávamos indo na direção do carro.

— Estou morrendo de dor de cabeça — disse Conrad.

Parei de caminhar.

— Quer que eu volte lá dentro rapidinho e veja se alguém tem um analgésico?

— Não, está tudo certo. Sabe de uma coisa? Talvez eu volte para a faculdade. Tenho aquela prova na segunda-feira e tudo o mais. Tudo bem se eu não for à festa pós-baile? Ainda posso deixar você lá.

Ele não me encarou enquanto dizia isso.

— Achei que você fosse passar a noite aqui.

Conrad remexia nas chaves do carro.

— Eu sei, mas agora estou pensando que é melhor voltar... — A voz dele foi sumindo.

— Mas eu não quero que você vá embora — falei, e detestei que eu parecesse estar implorando.

Ele enfiou as mãos nos bolsos da calça, dizendo:

— Eu sinto muito.

Ficamos parados no estacionamento, e eu pensei: *Se a gente entrar neste carro, está tudo acabado entre nós. Ele vai me deixar em casa, seguir para a faculdade e nunca mais vai voltar. E vai ser o fim.*

— O que aconteceu? — perguntei, sentindo o pânico tomar conta do meu peito. — Eu fiz alguma coisa errada?

Ele desviou o olhar.

— Não. Não é você. Não tem nada a ver com você.

Agarrei o braço dele, que se afastou.

— Quer, por favor, falar comigo? Pode simplesmente me dizer o que está acontecendo?

Conrad não disse nada. Ele queria já estar no carro, indo embora. Indo para longe de mim. Tive vontade de bater nele.

Então falei:

— Está bem, legal, então. Se você não vai dizer, eu digo.

— Se eu não vou dizer o quê?

— Que não estamos mais juntos. Que o que quer que existia entre a gente acabou. Acabou, não é?

Eu estava chorando, meu nariz começou a escorrer, e tudo se misturava na chuva. Sequei o rosto com o braço. Ele hesitou. Eu o vi hesitar, medir as palavras.

— Belly...

— Não — interrompi, recuando. — Não faça isso. Não me fala nada.

— Só espera um pouco — pediu ele. — Não faça assim.

— É você quem está fazendo assim — retruquei.

Comecei a me afastar, caminhando o mais depressa que meus pés conseguiam com aqueles saltos idiotas.

— Espera! — gritou ele.

Não me virei. Caminhei ainda mais rápido. Então o ouvi dando um soco no capô do carro. Quase parei.

Talvez eu tivesse parado se ele tivesse vindo atrás de mim. Mas Conrad não fez isso. Ele entrou no carro e foi embora, exatamente como disse que faria.

Na manhã seguinte, meu irmão veio até meu quarto e se sentou à minha escrivaninha. Tinha acabado de chegar em casa e ainda estava de smoking.

— Estou dormindo — falei, me virando para o lado.

— Não está, não. — Ele fez uma pausa. — Conrad não vale isso, está bem?

Eu sabia quanto devia ter custado a ele dizer aquilo para mim, e eu o amei por isso. Steven era o fã número um de Conrad. Sempre foi. Quando Steven se levantou e saiu, repeti para mim mesma o que meu irmão tinha dito. *Ele não vale isso.*

Quando desci no dia seguinte, perto da hora do almoço, minha mãe perguntou:

— Você está bem?

Eu me sentei à mesa da cozinha e apoiei a cabeça no tampo da mesa. Senti a madeira fria na minha bochecha. Ergui os olhos para ela e respondi:

— Pelo jeito, o Steven fez fofoca.

Ela retrucou, hesitante.

— Não exatamente. Eu perguntei a ele por que Conrad não ficou para passar a noite, como havíamos planejado.

— A gente terminou.

De certa maneira, foi emocionante ouvir aquilo sendo dito em voz alta, porque, se tínhamos terminado, significava que, em algum momento, havíamos estado juntos. Tinha sido pra valer.

Minha mãe se sentou à minha frente. Suspirou.

— Eu estava com receio de que isso pudesse acontecer.

— Como assim?

— É mais complicado do que apenas você e o Conrad. Tem mais gente envolvida. Não são só vocês dois.

Fiquei com vontade de berrar, de dizer como ela era insensível e cruel e de perguntar se ela não conseguia ver que meu coração estava literalmente partido. Mas, quando a encarei, tive que engolir as palavras. Minha mãe tinha razão. Havia mais com o que se preocupar do que com apenas o meu coração idiota. Era preciso pensar em Susannah. Ela ficaria muito decepcionada. E eu detestava desapontá-la.

— Não se preocupe com a Beck — disse minha mãe, a voz suave. — Eu vou contar a ela. Quer que prepare alguma coisa pra você comer?

Aceitei a oferta.

Mais tarde, no meu quarto, sozinha novamente, disse a mim mesma que era melhor assim. Que já tinha um tempo que ele estava esperando para terminar tudo, então foi melhor eu dizer antes. Eu não acreditei em uma palavra. Se Conrad me telefonasse e pedisse para a gente voltar, se aparecesse com flores ou um aparelho de som tocando a nossa música... a gente chegou a ter uma música? Eu não sabia. Mas se ele fizesse o mais minúsculo dos gestos, eu o teria aceitado de volta, de bom grado. Mas Conrad não me ligou.

Quando descobri que Susannah havia piorado, que ela não ia melhorar, eu liguei. Uma vez. Ele não atendeu, e eu não deixei recado. Se ele tivesse atendido, se tivesse retornado minha ligação, não sei o que eu teria dito.

E foi assim. A gente tinha terminado.

13

Jeremiah

Minha mãe pirou quando descobriu que Conrad ia levar Belly ao baile de fim de ano. Deu pulinhos de alegria. Dava a impressão de que os dois iam se casar ou coisa parecida. Fazia tempo que eu não a via feliz daquele jeito, e uma parte de mim ficou satisfeita que ele pudesse ter proporcionado aquela alegria a ela. Mas, basicamente, fiquei com ciúme. Minha mãe não parava de ligar para Conrad, lembrando a ele coisas como se certificar de alugar o smoking a tempo. Disse que ele talvez pudesse pegar o meu emprestado, e eu falei que duvidava que fosse servir. Ela não falou mais nada, o que me deixou aliviado. Como acabei indo ao baile de uma menina do Collegiate naquela noite, ele não o teria usado de qualquer maneira. A questão era que, mesmo que pudesse emprestar, eu não queria que ele usasse.

Minha mãe o fez prometer que seria gentil com Belly, o cavalheiro perfeito.

— Faça com que seja uma noite da qual ela se lembre pra sempre — pediu ela.

Quando cheguei em casa na tarde depois do baile, o carro de Conrad estava na entrada de veículos, o que era estranho. Achei que ele ia passar a noite na casa de Laurel e depois voltar direto para a faculdade. Parei no quarto dele, mas Con estava dormindo. Logo depois, eu também caí no sono.

Naquela noite, pedimos comida chinesa, já que mamãe disse que estava com vontade de comer, mas, quando chegou, ela nem tocou na comida.

Comemos na sala de TV, sentados no sofá, algo que nunca fazíamos antes de ela ficar doente.

— E aí? — perguntou ela, olhando para Conrad, ansiosa.

Esse foi o momento do dia em que a vi mais animada.

Ele estava enfiando um rolinho primavera na boca, como se estivesse com muita pressa. E tinha levado toda a roupa suja para casa, como se esperasse que mamãe a lavasse.

— E aí, o quê? — perguntou.

— Você me fez esperar o dia todo pra contar do baile! Eu quero saber tudo!

— Ah, isso.

Conrad parecia constrangido, e eu sabia que ele não queria falar sobre o assunto. Eu tinha certeza de que ele havia feito alguma coisa para estragar tudo.

— Ah, isso — repetiu minha mãe, em tom de provocação. — Vamos lá, Con, me conte alguns detalhes. Como ela estava com o vestido? Vocês dois dançaram? Quero saber de tudo. Ainda estou esperando a Laurel me mandar as fotos por e-mail.

— Foi tudo bem.

— Só isso? — perguntei.

Fiquei irritado com ele. Com tudo em relação a ele. Conrad havia levado Belly ao baile dela e agia como se tivesse sido alguma grande tarefa. Se tivesse sido eu, teria feito direito.

Ele me ignorou.

— Ela estava muito bonita. Usou um vestido lilás.

Minha mãe assentiu, sorrindo.

— Sei exatamente qual é. Como ficou o buquê?

Ele se remexeu no lugar.

— Ficou bonito.

— Você acabou comprando o de prender na roupa ou o de usar no pulso?

— O de prender.

— E vocês dançaram?

— Sim, muito. A gente dançou, tipo, todas as músicas.

— Qual era o tema do baile?

— Não me lembro.

Como minha mãe pareceu decepcionada, ele acrescentou:

— Acho que era "Uma noite no continente". Tipo uma turnê pela Europa. Tinha uma grande torre Eiffel com luzinhas de Natal e uma ponte de Londres que dava pra atravessar. E uma torre de Pisa toda torta.

Olhei para ele. "Uma noite no continente" foi o tema do baile da nossa escola no ano anterior. Eu sabia porque estava lá.

Mas acho que minha mãe não se lembrava disso.

— Ah, deve ter sido muito legal. Queria ter estado na casa de Laurel para ajudar a Belly a se arrumar. Vou ligar para a Lau de noite e pedir a ela que me mande logo essas fotos. Quando acha que vão chegar as fotos que os fotógrafos contratados tiraram? Quero colocar em um porta-retratos.

— Não sei.

— Pode perguntar à Belly, por favor?

Ela largou o prato em cima da mesa de centro e voltou a se recostar nas almofadas do sofá. De repente, pareceu exausta.

— Pode deixar — disse ele.

— Acho que vou pra cama agora — anunciou mamãe. — Jere, pode arrumar as coisas aqui?

— Claro, mãe — respondi, ajudando-a a se levantar.

Ela nos beijou no rosto e foi para o quarto. Tínhamos passado o escritório para o andar de cima e mudado o quarto dela para o andar de baixo, para ela não precisar ficar subindo e descendo a escada.

Depois que ela saiu, eu comentei, em um tom sarcástico:

— Então quer dizer que vocês dois dançaram a noite toda, é?

— Deixa isso pra lá — retrucou Conrad, encostando a cabeça no sofá.

— Você foi mesmo ao baile? Ou mentiu para a mamãe sobre isso também?

Ele me encarou, furioso.

— Sim, eu fui.

— Bom, por algum motivo eu duvido que vocês tenham dançado a noite toda — insisti.

Estava me sentindo um cretino, mas simplesmente não conseguia deixar para lá.

— Por que você está sendo tão idiota? Por que se importa com o baile?

Dei de ombros.

— Só espero que não tenha estragado tudo e magoado a Belly. O que você está fazendo aqui, afinal?

Achava que Conrad fosse ficar furioso. Na verdade, meio que torcia para isso. Mas tudo que ele disse foi:

— Nem todo mundo pode ser o Sr. Rei do Baile.

E começou a fechar as caixas de comida.

— Já acabou de comer? — perguntou.

— Sim, acabei — respondi.

14

Quando chegamos ao campus, tinha gente sentada no gramado, do lado de fora. Algumas garotas estavam deitadas de short e a parte de cima do biquíni, e um grupo de garotos jogava frisbee. Encontramos uma vaga para estacionar bem na frente do alojamento de Conrad e entramos no prédio quando uma garota saiu com uma cesta de lavanderia cheia de roupas. Eu me senti incrivelmente jovem e perdida. Nunca tinha estado ali. Não era como eu havia imaginado. Era mais barulhento, mais movimentado.

Jeremiah sabia o caminho, e precisei apressar o passo para alcançá-lo. Ele subiu a escada de dois em dois degraus, e fomos até o terceiro andar. Eu o segui por um corredor muito iluminado. Na parede ao lado do elevador havia um mural de recados com um cartaz dizendo Vamos falar sobre sexo, gatinha. Havia folhetos sobre DSTs, orientação sobre autoexame de mama e camisinhas em cores néon grampeadas de um jeito todo estiloso.

"Pegue uma", alguém tinha escrito com marcador de texto. "Ou três."

O nome de Conrad estava escrito na porta do quarto e, embaixo, "Eric Trusky".

Seu colega de quarto era um cara atarracado e musculoso com cabelo castanho-avermelhado, e ele abriu a porta usando short de ginástica e camiseta.

— E aí? — perguntou, pousando os olhos em mim.

Ele me lembrou um lobo.

Em vez de me sentir lisonjeada por um universitário estar checando meu corpo, só me deu nojinho. Fiquei com vontade de me esconder atrás de Jeremiah como costumava me esconder atrás da saia da minha mãe, quando tinha cinco anos e era muito tímida. Precisei lembrar a mim mesma que tinha dezesseis, quase dezessete anos. Estava velha demais para ficar nervosa perto de um cara chamado Eric Trusky. Mesmo que Conrad tivesse me contado que Eric sempre lhe enviava vídeos pornôs esquisitos e passava basicamente o dia todo no computador. Exceto quando assistia a suas novelas, das duas às quatro da tarde.

Jeremiah pigarreou.

— Sou o irmão do Conrad, e ela é... nossa amiga. Você sabe onde ele está?

Eric abriu a porta e nos deixou entrar.

— Cara, não faço ideia. Ele simplesmente foi embora. O Ari ligou pra vocês?

— Quem é Ari? — perguntei a Jeremiah.

— Ari, o supervisor do alojamento.

— Ah, o supervisor — repeti, e Jeremiah deu um sorriso forçado.

— Quem é você? — perguntou Eric.

— Meu nome é Belly.

Fiquei observando, esperando por um lampejo de reconhecimento, algo que me dissesse que Conrad falava sobre mim, que pelo menos tivesse mencionado meu nome. Mas claro que não houve nada.

— Belly, é? Que gracinha. Sou Eric — disse ele, se encostando na parede.

— Hum, oi — respondi.

— Então... o Conrad não disse nada antes de ir embora? — interrompeu Jeremiah.

— Ele mal fala. Ele parece um androide. — Então sorriu para mim. — Bom, ele fala com garotas bonitas.

Fiquei enjoada. Que garotas bonitas? Jeremiah bufou alto e cruzou as mãos atrás da cabeça. Então pegou o celular e olhou para o aparelho, como se pudesse haver alguma resposta ali.

Eu me sentei na cama de Conrad, forrada com lençóis azul-marinho e um edredom azul-marinho por cima. A cama estava desarrumada. Conrad sempre arrumava a cama na casa de praia. Fazia até aquele acabamento que a gente só vê em hotel e tudo.

Então era ali que ele estava morando. Aquela era a vida dele agora.

Conrad não tinha muitas coisas no quarto do alojamento. Não tinha TV, nem aparelho de som, nem fotos penduradas. Certamente nenhuma minha, mas nem sequer de Susannah ou do pai. Apenas o computador, as roupas, alguns sapatos, livros.

— Eu estava quase de saída, gente. Vou pra casa de campo dos meus pais. Podem apenas checar se a porta fechou mesmo quando saírem? E, quando encontrarem o C, digam que ele me deve vinte dólares pela pizza.

— Tranquilo, cara. Vou dizer.

Percebi que Jeremiah não gostou de Eric pela maneira como os lábios dele quase formaram um sorriso, mas sem sustentar a expressão quando ele falava. Jere se sentou diante da mesa de estudos do irmão, examinando o quarto.

Alguém bateu à porta, e Eric foi abrir. Era uma garota, usando uma camisa de mangas compridas, legging e óculos de sol na cabeça.

— Você viu meu blusão? — perguntou a ele, olhando por cima dos ombros, como se estivesse procurando por alguma coisa, por alguém.

Os dois saíram juntos?, eu me perguntei. Foi a primeira coisa que pensei. Meu segundo pensamento foi: *Eu sou mais bonita que ela.* Fiquei com vergonha de pensar isso, mas não pude evitar. A verdade era que não importava quem era mais bonita, ela ou eu. Conrad não me queria.

Jeremiah se levantou em um salto.

— Você é amiga do Con? Sabe aonde ele foi?

Ela olhou para nós com curiosidade. Percebi que achou Jeremiah bonito pelo modo como colocou o cabelo atrás das orelhas e tirou os óculos de sol da cabeça.

— Ahn, sim. Oi. Sou a Sophie. Quem são vocês?

— Sou o irmão dele.

Jeremiah foi até ela e apertou sua mão. Embora estivesse estressado, deu uma boa sacada nela e lhe mostrou um de seus sorrisos característicos, que ela retribuiu imediatamente.

— Ah, nossa. Vocês dois nem são parecidos?

Sophie era aquele tipo de pessoa que termina as frases com um ponto de interrogação. Só por isso eu já podia dizer que, se a conhecesse, eu a detestaria.

— É, muita gente nos diz isso — respondeu Jeremiah. — O Con disse alguma coisa pra você, Sophie?

Ela gostou da maneira como ele a chamou pelo nome.

— Acho que ele comentou que iria pra praia, surfar ou coisa parecida? Ele é bem maluco.

Jeremiah olhou para mim. A praia. Ele estava na casa de praia.

Enquanto Jeremiah ligava para o pai, fiquei sentada na beira da cama de Conrad e fingi não escutar. Ele disse ao Sr. Fisher que estava tudo bem, que Conrad estava a salvo em Cousins. Não mencionou que eu tinha ido junto.

— Papai, eu vou buscá-lo. Não é nada de mais.

Do outro lado da linha, o Sr. Fisher disse alguma coisa, e Jeremiah retrucou:

— Mas, papai...

Então olhou para mim, fazendo *já volto* com a boca.

Ele seguiu na direção do corredor e fechou a porta ao sair.

Depois que Jere saiu, eu me deitei na cama de Conrad e fiquei olhando fixamente para o teto. Então era ali que ele dormia todas as noites. Eu o conhecia a vida inteira, mas, de muitas maneiras, ele ainda era um mistério para mim. Um enigma.

Eu me levantei e fui até sua mesa de estudos. Abri a gaveta com cautela e encontrei uma caixa de canetas, alguns livros, papel. Conrad sempre foi cuidadoso com suas coisas. Disse a mim mesma que não estava *espionando*. Eu estava à procura de provas. Era Belly Conklin, detetive.

Encontrei na segunda gaveta. Uma caixa verde Tiffany enfiada bem no fundo. Enquanto a abria, sabia que estava fazendo algo errado, mas não consegui evitar. Era uma caixinha de joia, e dentro havia um colar com um pingente. Tirei a peça da caixinha e a segurei no alto. Primeiro, pensei que fosse um número oito, e que talvez ele estivesse saindo com alguma garota que praticava patinação no gelo — e decidi que a detestava também. Então olhei melhor e coloquei o pingente na horizontal na palma da minha mão. Não era um número oito.

Era o infinito.

$$\infty$$

Foi quando eu me dei conta. Não era para alguma garota que praticava patinação no gelo ou para a Sophie daquele mesmo alojamento. Era para mim. Ele havia comprado aquilo para mim. Ali estava a prova. Prova de que ele realmente se importava.

Conrad era bom em matemática. Quer dizer, ele era bom em tudo, mas era realmente muito bom em matemática.

Algumas semanas depois de começarmos a nos falar por telefone, quando as conversas haviam se tornado mais uma rotina, mas não menos emocionantes, contei a ele como detestava trigonometria e como já estava me saindo mal. Imediatamente, me senti culpada por dizer daquilo — lá estava eu reclamando de matemática enquanto Susannah enfrentava um câncer. Meus problemas eram tão insignificantes e bobos, tão *sem importância* se comparados com o que Conrad estava enfrentando.

— Me desculpe — falei.

— Pelo quê?

— Por falar sobre a porcaria da minha nota de trigonometria enquanto... — Minha voz falhou. — Enquanto sua mãe está doente.

— Não se desculpe. Você pode me dizer o que quiser. — Ele fez uma pausa. — E, Belly, minha mãe está melhorando. Ela ganhou dois quilos este mês.

A esperança em sua voz me fez sentir tanto carinho por ele que eu quase chorei.

— É, minha mãe me contou isso ontem. Que notícia boa.

— Certo, então vamos lá. Seu professor já ensinou o SOH-CAH-TOA, uma maneira de lembrar como calcular o seno, o cosseno e a tangente de um ângulo?

Dali em diante, Conrad começou a me ajudar, pelo telefone mesmo. No início, eu não prestava muita atenção, só gostava de ouvir a voz dele enquanto ele explicava as coisas. Mas então ele começou a me testar, e eu detestava decepcioná-lo. Assim começaram nossas aulas particulares. A maneira como minha mãe sorria para mim quando o telefone tocava à noite me fazia ter certeza de que ela achava que estávamos tendo algum tipo de relacionamento, e não a corrigi. Era mais fácil assim. E o fato de as pessoas pensarem que éramos um casal me deixava feliz. Vou admitir, eu deixei que pensassem isso. Eu queria que pensassem. Sabia que não era verdade, não ainda, mas eu sentia como se pudesse ser. Algum dia. Enquanto isso, eu tinha meu próprio professor particular de matemática e estava realmente começando a entender trigonometria. Conrad tinha um jeito de fazer coisas impossíveis fazerem sentido, e eu nunca o amei tanto quanto durante aquelas noites de aula que ele passou comigo ao telefone repassando os mesmos problemas sem parar, até que, finalmente, eu também os compreendi.

Jeremiah voltou para o quarto, então fechei o colar na mão antes que ele pudesse vê-lo.

— O que está havendo? — perguntei. — Seu pai está bravo? O que ele disse?

— Ele queria ir a Cousins pessoalmente, mas eu disse que faria isso. De jeito nenhum Conrad daria ouvidos a meu pai agora. Se meu pai aparecesse, ele simplesmente ficaria ainda mais furioso.

Jeremiah sentou-se na cama.

— Então, acho que vamos a Cousins neste verão, afinal.

Assim que ele disse isso, a situação se tornou real. Na minha cabeça, quero dizer. Ver Conrad não era mais uma fantasia distante. Era algo que ia acontecer. Imediatamente, deixei de lado todos os meus planos de salvá-lo e disparei:

— Talvez você deva simplesmente me deixar em casa no caminho pra lá.

Jeremiah me encarou.

— Você está falando sério? Eu não vou conseguir lidar com isso sozinho. Você não sabe como tem sido ruim. Desde que minha mãe ficou doente de novo, o Conrad tem agido de modo autodestrutivo. Ele não dá a mínima pra nada. Mas sei que ele ainda se importa com o que você pensa.

Umedeci os lábios, que ficaram muito secos de repente.

— Não tenho tanta certeza quanto a isso.

— Bom, eu tenho. Eu conheço meu irmão. Pode, por favor, ir comigo?

Quando pensei nas últimas coisas que disse a Conrad, fui tomada pela vergonha e me senti queimando por dentro. Não se diz aquele tipo de coisa a uma pessoa cuja mãe acabou de morrer. Simplesmente não se diz. Como eu poderia encará-lo? Eu simplesmente não ia conseguir.

Então Jeremiah disse:

— Vai estar de volta a tempo para a festa no barco, se é isso que está deixando você tão preocupada.

Aquilo foi algo tão estranho vindo de Jeremiah que saí imediatamente da espiral de vergonha que estava sentindo e olhei furiosa para ele.

— Você acha que eu me importo com uma festa idiota em um barco?

Ele olhou para mim.

— Você adora fogos de artifício.

— Cala a boca — respondi, e ele sorriu. — Tudo bem. Você venceu. Eu vou.

— Está certo, então. — Ele se levantou. — Vou fazer xixi antes de sairmos. Ah, e Belly?

— O quê?

Jeremiah abriu um sorriso irônico para mim.

— Eu sabia que você ia ceder. Nunca teve nenhuma chance.

Atirei um travesseiro nele, que desviou e saiu comemorando na direção da porta.

— Vai logo fazer xixi, seu idiota.

Quando Jere saiu, coloquei o colar por baixo da regata. O pingente havia deixado uma marca na palma da minha mão, de tão forte que eu o segurei.

Por que fiz aquilo? Por que coloquei o colar? Por que não o guardei no bolso ou o deixei na caixa? Não consigo sequer explicar isso. Tudo que eu sabia era que eu queria muito, muito usá-lo. Ele parecia pertencer a mim.

15

Antes de voltarmos para o carro, peguei os livros, os cadernos e o notebook de Conrad e enfiei o máximo de coisas que consegui na mochila da North Face que encontrei no armário dele.

— Assim ele vai poder estudar para as provas da metade do semestre na segunda — falei, entregando o computador a Jeremiah.

Ele retrucou, dando uma piscadela.

— Gosto do seu jeito de pensar, Belly Conklin.

No caminho, paramos no quarto de Ari, o supervisor do alojamento. A porta estava aberta, e ele estava sentado diante da escrivaninha. Jeremiah enfiou a cabeça e disse:

— Oi, Ari. Sou o irmão de Conrad, Jeremiah. Nós o encontramos. Obrigado pela dica, cara.

Ari abriu um sorriso.

— Sem problemas.

Jeremiah Fisher fazia amigos aonde quer que fosse. Todo mundo queria ser amigo dele.

Pegamos a estrada. Fomos direto para Cousins, a parada final. Seguimos com as janelas abertas e o rádio ligado.

Não conversamos muito, mas, desta vez, eu não me importei. Acho que nós dois estávamos ocupados demais pensando. Eu estava pensando na última vez que havia pegado aquela estrada. Só que não tinha sido com Jeremiah, e sim com Conrad.

16

Foi, sem dúvida, uma das melhores noites da minha vida, junto com a virada de ano na Disney. Meus pais ainda eram casados, e eu tinha nove anos. Assistimos aos fogos de artifício estourando bem acima do Palácio da Cinderela, e Steven nem reclamou.

Não reconheci a voz dele quando ele ligou, em parte porque eu não estava esperando e em parte porque eu ainda estava meio dormindo.

— Estou no carro, a caminho da sua casa. Podemos nos ver? — perguntou.

Era meia-noite e meia. Boston ficava a cinco horas e meia de distância. Ele tinha dirigido a noite inteira. Porque queria me ver.

Pedi que ele estacionasse no fim da rua, dizendo que eu o encontraria na esquina depois que minha mãe fosse dormir. Ele disse que ia esperar.

Apaguei as luzes e fiquei esperando na janela, prestando atenção nos faróis. Tive vontade de ir correndo assim que avistei o carro dele, mas precisava esperar. Ainda podia ouvir minha mãe vagando para lá e para cá no quarto dela, e sabia que ficaria lendo na cama por pelo menos meia hora antes de pegar no sono. Era uma tortura saber que ele estava logo ali, me esperando, e eu não podia ir ao encontro dele. Aquela era uma ideia maluca; estávamos no inverno, e estaria congelando em Cousins. Mas, quando ele sugeriu, pareceu uma ideia maluca e boa.

No escuro, coloquei o cachecol que minha avó tinha tricotado para mim no Natal. Então fechei a porta do quarto e fui pisando na ponta dos pés pelo corredor, até o quarto da minha mãe, e encostei a orelha na porta. A luz estava apagada, e pude ouvi-la roncando baixinho. Para minha sorte, Steven sequer havia chegado em casa — ainda bem, porque ele tinha o sono leve como o do nosso pai.

Minha mãe finalmente estava dormindo, a casa estava quieta e silenciosa. Nossa árvore de Natal ainda estava montada. Deixávamos as luzinhas acesas a noite toda, porque aquilo me fazia sentir que ainda era Natal, como se a qualquer minuto Papai Noel pudesse aparecer com presentes. Não deixei um bilhete para minha mãe. Eu ligaria para ela pela manhã, quando acordasse e procurasse por mim.

Desci a escada lentamente, tomando o cuidado de evitar o degrau do meio, que rangia, mas, assim que me vi do lado de fora, corri pelos degraus da entrada e atravessei o jardim congelado. A grama quebrava sob a sola dos meus tênis. Eu tinha me esquecido de vestir um casaco. Só me lembrei do cachecol, mas não do casaco.

O carro de Conrad estava na esquina, bem onde eu achei que estaria. Estava todo apagado, e abri a porta do lado do passageiro como se já tivesse feito aquilo um milhão de vezes.

Enfiei a cabeça para dentro, mas não entrei. Queria olhar para ele primeiro. Era inverno, e ele vestia uma camisa de flanela cinza. O rosto estava rosado por causa do frio; o bronzeado já tinha desbotado, mas ele parecia o mesmo de sempre.

— Oi — cumprimentei, entrando no carro.

— Você está sem casaco — observou ele.

— Não está tão frio assim — respondi, embora estivesse, e apesar de eu estar tremendo ao dizer isso.

— Toma — ofereceu ele, tirando a camisa de flanela e me entregando.

Vesti a camisa. Estava quente e não cheirava a cigarro. Tinha o cheiro dele. Então Conrad havia parado de fumar, afinal. Pensar nisso me fez sorrir.

Ele deu partida no motor.

— Não acredito que você está aqui — falei.

— Nem eu. — Ele tinha um ar quase tímido, hesitante. — Você ainda vem comigo?

Ele nem precisava perguntar. Eu iria a qualquer lugar com ele.
— Sim — respondi.
Era como se nada mais existisse além daquela palavra, além daquele momento. Só havia nós dois. Tudo que tinha acontecido no verão anterior, e em cada verão antes daquele, nos levara até ali. Até agora.

Estar ao lado de Conrad no banco do carona era como um presente inacreditável. Parecia o melhor presente de Natal da minha vida. Porque ele estava sorrindo para mim, não estava sombrio, solene ou triste ou qualquer outra das palavras que eu havia passado a associar a Conrad. Ele estava leve, entusiasmado: as melhores partes dele à mostra.
— Acho que vou ser médico — anunciou, me olhando de lado.
— Sério? Nossa.
— A medicina é muito incrível. Por um tempo, pensei que iria para o ramo da pesquisa, mas, agora, acho que prefiro trabalhar com pessoas de verdade.
Hesitei e então perguntei:
— Por causa da sua mãe?
Ele assentiu.
— Ela está melhorando, sabia? A medicina está tornando isso possível. Ela está respondendo muito bem ao novo tratamento. Sua mãe contou?
— Sim, contou.
Mas não tinha contado. Provavelmente ela só não queria aumentar minhas esperanças. Provavelmente não queria aumentar as próprias esperanças. Minha mãe era assim, não se deixava empolgar antes de saber que era algo certo. Eu, não. Eu já estava me sentindo mais leve, mais feliz. Susannah estava melhorando. Eu estava com Conrad. Tudo estava acontecendo como deveria acontecer.
Eu me inclinei na direção dele e apertei seu braço.

— É a melhor notícia do mundo — falei, sendo sincera.

Ele sorriu para mim, e uma palavra estava estampada em seu rosto: esperança.

Quando chegamos na casa, eu estava congelando. Ligamos o aquecimento, e Conrad acendeu a lareira. Fiquei olhando para ele, agachado, rasgando pedaços de papel, atiçando cuidadosamente a lenha. Aposto que ele cuidava bem do cachorro da família, Boogie. Aposto que deixava Boogie dormir na cama com ele. Só o fato de pensar em camas e em dormir me deixou nervosa de repente. Mas eu não devia ter ficado, porque, depois que acendeu o fogo, Conrad se sentou na poltrona, e não no sofá, ao meu lado. De repente, me ocorreu: ele também estava nervoso. Conrad, que nunca ficava nervoso. Nunca.

— Por que você foi se sentar aí desse lado? — perguntei, escutando o coração bater com força.

Não podia acreditar que havia tido coragem suficiente para realmente dizer o que estava pensando.

Conrad também pareceu surpreso, mas veio até mim e se sentou ao meu lado. Cheguei ainda mais perto. Queria que ele colocasse os braços em volta de mim. Queria fazer todas as coisas que eu só tinha visto na TV e ouvido Taylor falar. Bom, talvez não todas, mas algumas.

Em voz baixa, Conrad disse:

— Não quero que você fique assustada.

— Não estou — sussurrei, embora estivesse.

Não assustada com ele, mas com tudo que eu sentia. Às vezes era demais. O que eu sentia por ele era mais intenso do que qualquer coisa, mais intenso do que tudo no mundo.

— Ótimo — disse ele, e suspirou, se inclinando para me beijar.

Ele me beijou bem devagarinho e por muito tempo e, embora a gente já tivesse se beijado antes, eu nunca imaginei que pudesse ser daquele jeito. Ele foi com calma. Passou as mãos pela parte de baixo do meu cabelo, daquele jeito que a gente costuma fazer quando passa a mão nos sinos de vento.

Beijá-lo, estar com ele daquele jeito... era como tomar um suco bem gelado, doce e agradável de um modo que parecia interminável. Passou pela minha cabeça a ideia de que eu não queria que ele parasse de me beijar nunca. *Eu poderia ficar fazendo isso para sempre*, pensei.

Ficamos nos beijando no sofá pelo que podem ter sido horas ou minutos. Tudo que fizemos foi beijar. Conrad foi cuidadoso na forma como me tocava, como se eu fosse um enfeite de Natal que ele tivesse medo de quebrar.

Em algum momento, até sussurrou:

— Tudo bem assim?

Quando espalmei a mão no peito dele, pude sentir seu coração batendo tão rápido quanto o meu. Eu o espiei e, por algum motivo, fiquei deliciada ao ver seus olhos fechados. Os cílios dele eram mais longos que os meus.

Conrad caiu no sono primeiro. Eu tinha ouvido falar alguma coisa sobre não ser bom dormir com um fogo ainda queimando, então esperei que as brasas se apagassem. Fiquei observando Conrad dormir por um tempo. Ele parecia um garotinho com o cabelo caindo na testa e os cílios tocando o rosto. Eu não me lembrava de ele parecer tão jovem. Quando tive certeza de que ele estava dormindo, me inclinei na sua direção e sussurrei:

— Conrad. Só existe você. Pra mim, sempre existiu só você.

Minha mãe pirou quando não me encontrou em casa naquela manhã. Não atendi duas ligações dela porque estava dormindo. Na terceira vez, furiosa, perguntei:

— Você não viu meu bilhete?

Então lembrei que não tinha deixado bilhete.

Ela praticamente rosnou.

— Não, não vi bilhete nenhum. Nunca mais saia no meio da noite sem me avisar, Belly.

— Mesmo se eu só estiver saindo para uma caminhada à meia-noite? — brinquei.

Eu sempre conseguia fazer minha mãe dar risada. Eu fazia uma brincadeira, e a raiva dela evaporava. Comecei a cantar a música de Patsy Cline que ela mais gostava:

— *I go out walkin', after midnight, out in the moonlight...*
Saio caminhando, depois da meia-noite, à luz do luar.
— Não foi engraçado. Onde você está?
A voz dela estava tensa, nervosa.
Hesitei. Não havia nada que minha mãe detestasse mais do que mentiras. Ela acabaria descobrindo de qualquer maneira. Era meio vidente.
— Ahn. Em Cousins?
Ouvi mamãe inspirando fundo.
— Com quem?
Olhei para ele, que ouvia a conversa atentamente. Queria que ele não estivesse ali.
— Com o Conrad — falei, baixando a voz.
A reação dela me surpreendeu. Eu a ouvi respirar novamente, mas, desta vez, foi um suspiro leve, de alívio.
— Você está com o Conrad?
— Estou.
— Como ele está?
Foi uma pergunta estranha, ainda mais com ela estando brava comigo.
Sorri para ele e abanei o rosto, como se estivesse aliviada. Ele piscou para mim.
— Ótimo — respondi, relaxando.
— Que bom. Que bom — disse ela, mas era como se estivesse falando sozinha. — Belly, eu quero você em casa ainda esta noite. Estamos entendidas?
— Sim.
Fiquei agradecida. Achei que ela fosse exigir que fôssemos embora imediatamente.
— Fala pro Conrad dirigir com cuidado. — Ela fez uma pausa. — E, Belly?

— Sim, Laurel?

Ela sempre sorria quando eu a chamava pelo nome.

— Divirta-se. Você vai ficar muito, muito tempo sem se divertir.

— Estou de castigo? — resmunguei.

Aquilo era novidade para mim. Minha mãe nunca me deixara de castigo. Mas acho que eu nunca tinha dado um motivo para isso.

— Essa é uma pergunta muito idiota.

Agora que ela não estava mais brava, não consegui resistir:

— Achei que você dissesse que não existem perguntas idiotas.

Ela desligou o telefone, mas sei que a fiz sorrir.

Desliguei o celular e encarei Conrad.

— O que vamos fazer?

— O que a gente quiser.

— Eu quero ir à praia.

E foi o que fizemos. Vestimos uma porção de roupas e corremos pela praia usando galochas que encontramos na entrada da casa. Usei as de Susannah, dois tamanhos maior do que o meu, e eu não parava de escorregar na areia. Caí de bunda duas vezes. Ri o tempo todo, mas mal conseguia escutar porque o barulho do vento estava muito alto. Quando voltamos para dentro de casa, coloquei as mãos geladas no rosto dele e, em vez de afastá-las para longe, Conrad disse:

— Ah, que sensação boa.

Dei risada e retruquei:

— Isso é porque você tem o coração frio.

Ele enfiou minhas mãos nos bolsos do próprio casaco e falou, com uma voz tão baixinha que até agora não sei se ouvi direito:

— Para todo mundo, talvez. Mas não para você.

Conrad não olhou para mim ao dizer isso, por isso sei que ele estava falando a verdade.

Como eu não sabia o que dizer, fiquei nas pontas dos pés e lhe dei um beijo na bochecha. Sua pele estava fria e macia ao toque dos meus lábios.

Ele deu um breve sorriso e começou a se afastar.

— Está com frio? — perguntou, de costas para mim.

— Mais ou menos — respondi.

Eu estava com o rosto vermelho.

— Vou acender a lareira — disse ele.

Enquanto ele fazia o fogo, encontrei uma caixa velha de chocolate quente Swiss Miss na despensa, ao lado dos chás Twinings e do café Chock full o'Nuts da minha mãe. Susannah sempre fazia chocolate quente nas noites de chuva, quando refrescava. Ela usava leite, mas é claro que não havia leite, então usei água.

Eu me sentei no sofá, mexendo o conteúdo da caneca, observando os minimarshmallows se desmancharem, sentindo meu coração batendo, tipo, um milhão de vezes por minuto. Quando estava com ele, eu tinha a sensação de que não conseguia respirar direito.

Conrad não parou de se mexer. Rasgava pedaços de papel e atiçava as brasas, agachado na frente da lareira, balançando o corpo para a frente e para trás.

— Quer seu chocolate quente? — perguntei.

Ele olhou para mim.

— Sim, claro.

Conrad se sentou ao meu lado no sofá e bebeu da caneca dos Simpsons. Sempre foi a preferida dele.

— Isto está...

— Incrível?

— Com gosto de velho.

Nós nos entreolhamos e demos risada.

— Só pra você saber, chocolate quente é a minha especialidade. E de nada — falei, tomando meu primeiro gole.

O chocolate estava mesmo com um gosto estranho.

Ele olhou para mim e levantou meu rosto. Então estendeu a mão e esfregou minha bochecha, como se estivesse limpando fuligem.

— Estou com chocolate em pó no rosto? — perguntei, ficando paranoica de repente.

— Não. É só uma sujeira... opa, quero dizer, umas sardas.

Eu ri e bati no braço dele, então ele agarrou minha mão e me puxou para mais perto. Afastou meu cabelo dos olhos, e fiquei preocupada que ele pudesse ouvir a maneira como eu inspirava quando ele me tocava.

Estava ficando cada vez mais escuro do lado de fora. Conrad suspirou e disse:

— É melhor eu levar você de volta pra casa.

Olhei para o meu relógio. Eram cinco da tarde.

— É... acho que é melhor a gente ir.

Nenhum de nós se mexeu. Ele estendeu o braço e enrolou meu cabelo nos dedos, como um novelo de lã.

— Adoro seu cabelo. É tão macio.

— Obrigada — sussurrei.

Eu nunca tinha pensado no meu cabelo como alguma coisa especial. Era só cabelo. E era castanho, e castanho não é especial como loiro, preto ou ruivo. Mas o jeito que ele olhava para os fios... para mim. Como se exercêssemos algum fascínio sobre ele, como se ele jamais fosse se cansar de passar a mão pelas mechas.

Nós nos beijamos de novo, mas foi diferente da noite anterior. Não teve nada de lento ou preguiçoso naquele beijo. A maneira como ele olhava para mim... com urgência, me desejando, precisando de mim... parecia uma droga. Era apenas desejo-desejo-desejo. Mas era eu quem mais desejava.

Quando o puxei para mais perto, quando coloquei as mãos por baixo da blusa dele, em suas costas, ele estremeceu por um instante.

— Minhas mãos estão muito geladas? — perguntei.

— Não.

Então ele me soltou e se sentou. Estava com o rosto meio vermelho, os pelos da nuca eriçados.

— Eu não quero apressar nada — explicou.

Eu também me sentei.

— Mas eu achei que você já...

Não soube como terminar a frase. Era muito constrangedor. Eu nunca tinha feito aquilo antes.

Conrad ficou ainda mais vermelho.

— Sim, quero dizer, eu já. Mas você não.

— Ah — soltei, olhando para baixo. Então olhei para ele. — Como você sabe que eu ainda não?

Então ele ficou vermelho como uma beterraba e gaguejou:

— Eu só achei que você não tivesse... quero dizer, eu presumi...

— Você achou que eu não havia feito nada antes, certo?

— Bom, sim. Quero dizer, não.

— Você não deveria fazer suposições desse tipo.

— Me desculpe. — Ele me encarou, hesitante. — Então... você já fez?

Apenas olhei para ele.

Quando Conrad abriu a boca para falar, eu o interrompi.

— Não. Nem cheguei perto — respondi.

Então me inclinei para a frente e lhe dei um beijo na bochecha. Parecia um privilégio simplesmente poder fazer aquilo, beijá-lo sempre que me desse vontade.

— Você é muito atencioso comigo — sussurrei, e me senti muito feliz e agradecida por estar ali, naquele momento.

Os olhos dele estavam sombrios e sérios.

— Eu só... quero sempre saber que você está bem. Isso é importante pra mim.

— Eu estou bem, Con. Estou mais do que bem.

Conrad assentiu.

— Que bom.

Ele ficou de pé e estendeu a mão para me ajudar a levantar.

— Então vamos levar você para casa.

Só cheguei em casa depois da meia-noite. Paramos para jantar em uma lanchonete na estrada. Pedi panquecas e batatas fritas, e ele pagou. Quando cheguei em casa, minha mãe estava muito brava, mas não me arrependi nem um pouco, nem por um segundo. Como podemos nos arrepender de uma das melhores noites da nossa vida? Ninguém se arrepende de uma coisa dessas. Guardamos para sempre cada palavra, cada olhar. Mesmo quando dói, não podemos esquecer.

17

Passamos pela cidade, por todos os lugares antigos, pela quadra de minigolfe, pelo restaurante de frutos do mar... Jeremiah dirigia o mais rápido possível, buzinando. Eu queria que ele diminuísse a velocidade, fizesse o trajeto durar para sempre. Mas isso não ia acontecer, é claro. Estávamos quase chegando.

Enfiei a mão na bolsa e peguei um potinho de gloss labial. Espalhei um pouco nos lábios e passei os dedos no cabelo. Os fios estavam embaraçados porque tínhamos viajado com os vidros abaixados, e meu cabelo ficou uma bagunça. Com a visão periférica, pude sentir os olhos de Jeremiah em mim. Ele provavelmente estava balançando a cabeça e pensando em como eu era otária. *Eu sei, sou mesmo otária*, quis dizer. *Não sou melhor que a Taylor.* Mas não podia simplesmente aparecer e dar de cara com Conrad com o cabelo horroroso.

Senti um aperto no peito quando vi o carro dele na entrada da casa. Conrad estava lá. Jeremiah saiu do carro feito um raio e foi correndo na direção da casa. Subiu os degraus da escada da frente de dois em dois, e eu fui atrás.

Foi estranho. A casa ainda tinha o mesmo cheiro. Por algum motivo, eu não esperava por aquilo. Talvez eu tenha pensado que, sem Susannah, tudo estaria diferente. Mas não estava. Eu quase tive a esperança de vê-la andando de um lado para o outro em um de seus vestidos de ficar em casa, à nossa espera na cozinha.

Conrad teve a ousadia de parecer irritado quando nos viu. Ele fora surfar e tinha acabado de voltar. Seu cabelo estava molhado e ele ainda usava a roupa de neoprene. Fiquei confusa. Embora fizesse apenas dois meses, foi como ver um fantasma. O fantasma do primeiro amor passado. Os olhos dele pararam em mim por cerca de um segundo antes de voltarem para Jeremiah.

— O que você está fazendo aqui?

— Estou aqui para pegar você e levar de volta à faculdade — disse Jeremiah, e percebi que ele estava se esforçando para parecer tranquilo, relaxado. — Você fez uma grande besteira, cara. O papai está pirando.

Conrad balançou a mão, como se dissesse que aquilo não importava.

— Diga para ele ir se ferrar. Eu vou ficar aqui.

— Con, você já perdeu duas matérias e tem provas na segunda-feira. Você não pode simplesmente não ir. Vai acabar sendo expulso do curso de verão.

— Isso é problema meu. E o que ela está fazendo aqui?

Ele não olhou para mim ao dizer isso, e foi como se tivesse me apunhalado no peito.

Comecei a me afastar dos dois, indo na direção das portas de vidro deslizantes. Estava difícil de respirar.

— Eu a trouxe para ajudar — disse Jeremiah.

Ele olhou para mim e respirou fundo.

— Trouxemos todos os seus livros e as suas coisas. Você pode estudar hoje de noite e amanhã, e eu levo você para a faculdade.

— Que se dane. Eu não me importo — esbravejou Conrad, indo até o sofá.

Ele tirou a parte de cima da roupa de surfe. Já estava ficando com os ombros bronzeados. Sentou-se no sofá, embora ainda estivesse molhado.

— Qual é o seu problema? — perguntou Jeremiah, mal conseguindo manter a firmeza na voz.

— Neste momento, meu problema são você e ela. Aqui.

Pela primeira vez desde que havíamos chegado, Conrad me encarou nos olhos.

— Por que você quer me ajudar? Por que se deu ao trabalho de vir até aqui?

Abri a boca para falar, mas não saiu nada. Como sempre, ele era capaz de acabar comigo com um olhar, uma palavra.

Conrad esperou pacientemente que eu dissesse alguma coisa e, como eu não disse, ele falou:

— Achei que você não quisesse me ver nunca mais. Esqueceu que me odeia?

Ele usou um tom de voz sarcástico, desdenhoso.

— Eu não odeio você — retruquei.

Então saí correndo. Abri as portas deslizantes e fui para a varanda. Fechei a porta e desci a escada em disparada até a praia.

Eu só precisava estar na praia. A praia faria eu me sentir melhor. Nada, nada era melhor que a sensação da areia sob meus pés. Ela era ao mesmo tempo sólida e mutável, constante e em permanente renovação. Era verão.

Eu me sentei na areia e fiquei olhando as nuvens irem até as ondas e se espalharem como cobertura branca sobre um biscoito. Tinha sido um erro ir até ali. Nada que eu pudesse dizer ou fazer apagaria o passado. A maneira como Conrad disse "ela", com tanto desdém... ele nem sequer me chamou pelo nome.

Depois de um tempo, voltei para a casa. Jeremiah estava sozinho na cozinha. Conrad não estava em nenhum lugar à vista.

— Bom, as coisas correram bem — comentou Jere.

— Eu não deveria ter vindo.

Jeremiah me ignorou.

— Aposto dez contra um que a única coisa que Conrad tem na geladeira é cerveja — declarou. — Quer apostar?

Ele estava tentando me fazer rir, mas eu não ri. Não consegui.

— Só um idiota aceitaria essa aposta.

Mordisquei o lábio. Eu realmente não queria chorar, não mesmo.

— Não deixe ele atingir você — pediu Jeremiah.

Ele puxou meu rabo de cavalo e o girou ao redor do punho como uma cobra.

— Não consigo evitar.

A maneira como ele havia olhado para mim... como se eu não fosse nada, menos que nada.

— Ele é um idiota. Não estava falando sério sobre nada daquilo — explicou Jeremiah.

Ele me deu um cutucão.

— Você se arrependeu de ter vindo?

— Sim.

Jeremiah me deu um sorriso torto.

— Bom, eu não. Gostei que você tenha vindo. Estou feliz por não precisar lidar com as merdas dele sozinho.

Como ele estava se esforçando, fiz um esforço também. Abri a geladeira como se fosse uma daquelas ajudantes de palco de programa de auditório, aquelas mulheres com vestido de gala e saltos brilhantes.

— Ta-dã! — falei.

Ele tinha razão, a única coisa lá dentro eram duas caixas de cerveja Icehouse. Susannah teria pirado se visse o que a geladeira dela havia se tornado.

— O que vamos fazer? — perguntei.

Jeremiah olhou pela janela, para a praia.

— Provavelmente vamos precisar passar a noite aqui. Vou falar com o Conrad. Ele vai voltar. Só preciso de um tempo. — Ele fez uma pausa. — Então que tal o seguinte: por que não vai comprar alguma coisa para a gente jantar, e eu fico aqui conversando com ele?

Eu sabia que Jeremiah estava tentando se livrar de mim, e fiquei feliz por isso. Eu precisava mesmo sair daquela casa, ficar longe de Conrad.

— Rolinhos de marisco para o jantar? — perguntei.

Jeremiah assentiu, e percebi que estava aliviado.

— Parece uma boa. O que você quiser.

Ele foi pegar a carteira, mas eu o interrompi.

— Está tudo certo.

Ele balançou a cabeça.

— Não quero que você gaste o seu dinheiro — disse, me dando duas notas amassadas de vinte dólares e a chave do carro. — Você veio até aqui pra ajudar.

— Eu quis vir.

— Porque você é uma boa pessoa e queria ajudar o Con.

— Eu queria ajudar você também. Quero dizer, ainda quero. Você não devia ter que lidar com isso sozinho.

Por um breve instante, Jeremiah não pareceu ser ele mesmo. Pareceu o pai.

— Quem mais poderia fazer isso?

Então sorriu para mim, e era Jeremiah de novo. O menino de Susannah, o garoto radiante e sorridente. O anjinho dela.

Aprendi a dirigir com câmbio manual no carro de Jeremiah, e era uma sensação boa estar no banco do motorista de novo. Em vez de ligar o ar-condicionado, abri as janelas e deixei o ar salgado entrar. Dirigi bem devagar até a cidade e parei o carro ao lado da antiga igreja batista.

Havia crianças correndo de um lado para o outro de roupa de banho e short, pais usando roupas esportivas e golden retrievers sem coleiras. Para a maioria, aquele era provavelmente o primeiro fim de semana das férias escolares. Havia apenas aquela sensação no ar. Sorri quando vi um menino correndo atrás de duas meninas mais velhas, provavelmente irmãs dele.

— Esperem por mim — gritou o garoto, os chinelos estalando na calçada enquanto ele andava.

Elas simplesmente andaram mais rápido, sem olhar para trás.

Minha primeira parada foi no mercado. Eu costumava passar horas lá, olhando para os doces a granel. Cada escolha parecia ter uma importância vital. Os meninos pegavam doces ao acaso, um pouco desse, um punhado daquele. Mas eu era cuidadosa: dez peixinhos, cinco bolas de malte, uma concha média de gomas de pera. Em homenagem aos velhos tempos, enchi um saquinho. Peguei amendoins para Jeremiah, uma barra de chocolate para Conrad e, apesar de ele não estar ali, balas de limão para Steven. Era um memorial de doces, um tributo a Cousins da nossa infância, em que escolher doces e balas a granel era a melhor parte do dia.

Eu estava parada na fila para pagar quando ouvi alguém chamar:
— Belly?

Eu me virei. Era Maureen O'Riley, dona da loja chique de chapéus da cidade, a Chapelaria Maureen. Era mais velha que meus pais, com quase sessenta anos, e se dava bem com minha mãe e Susannah. Ela levava seus chapéus muito a sério.

Nós nos abraçamos; Maureen tinha o mesmo cheiro de sempre, de lustra-móveis.

— Como está sua mãe? E Susannah? — perguntou.
— Minha mãe está bem.

A fila andou e me afastei de Maureen. Ela voltou a se aproximar de mim.

— E Susannah?

Pigarreei.

— O câncer voltou, e ela faleceu.

O rosto bronzeado de Maureen se franziu de espanto.

— Eu não fiquei sabendo. Lamento por isso. Gostava muito dela. Quando foi?

— No começo de maio.

Estava quase na minha vez de pagar, e então eu poderia ir embora, e a conversa estaria encerrada.

Ela agarrou minha mão, e meu primeiro impulso foi puxá-la com força, embora eu sempre tenha gostado de Maureen. Eu só não queria ficar ali parada, no meio do mercado, falando sobre a morte de Susannah como se fosse uma fofoca da cidade. Era sobre Susannah que estávamos falando.

Maureen deve ter percebido meu desconforto, porque me soltou.

— Queria ter sido avisada — disse. — Por favor, envie meus sentimentos aos meninos e à sua mãe. E, Belly, passe na minha loja para me ver um dia. Vamos arrumar um chapéu para você. Acho que está na hora de você ter um, um modelo bem elegante.

— Eu nunca usei chapéu — falei, procurando minha carteira.

— Está na hora — repetiu Maureen. — Alguma coisa para fazer você se destacar. Passe por lá. Vou cuidar de você. Vai ser um presente.

Depois disso, caminhei devagar pela cidade, parando na livraria e na loja de surfe. Andei sem rumo, enfiando a mão no saquinho de doces de vez em quando. Não queria cruzar com mais ninguém, mas não estava com pressa de voltar para a casa. Era evidente que Conrad não me queria por perto. Será que eu estava piorando a situação? A maneira como ele olhou para mim... vê-lo de novo foi mais difícil do que eu imaginava. Mas estar naquela casa outra vez... Foi um milhão de vezes mais difícil.

Quando voltei para a casa levando os rolinhos em um saquinho de papel gorduroso, Jeremiah e Conrad estavam tomando cerveja no deque dos fundos. O sol estava se pondo. Ia ser um lindo pôr do sol.

Larguei as chaves e o saco de papel em cima da mesa e me atirei em uma espreguiçadeira.

— Me passa uma cerveja — pedi.

Não que eu gostasse especialmente de cerveja. Eu não gostava. Mas eu queria me integrar a eles, do jeito como beber cervejas nos fundos da casa os havia aproximado de alguma maneira. Exatamente como nos velhos tempos, tudo que eu queria era me sentir incluída.

Esperei Conrad olhar para mim furioso e me dizer que não, que ele não iria me passar nenhuma cerveja. Quando ele não fez isso, fiquei surpresa por me sentir decepcionada. Jeremiah enfiou a mão no cooler e me atirou uma garrafa. Então piscou para mim.

— Desde quando nossa Belly Bola bebe? — perguntou.

— Estou com quase dezessete anos — lembrei a ele. — Não acha que estou velha demais para você me chamar assim?

— Eu sei quantos anos você tem — retrucou Jeremiah.

Conrad enfiou a mão no saco de papel e pegou um sanduíche. Mordeu com avidez, e me perguntei se ele tinha comido alguma coisa o dia todo.

— De nada — falei, sem conseguir me conter.

Conrad não tinha olhado na minha direção uma vez sequer desde que voltei. Queria que ele notasse que eu estava ali.

Ele resmungou um agradecimento, e Jeremiah me lançou um olhar de alerta. Do tipo: não irrite o Con quando as coisas estão indo bem.

O celular de Jeremiah vibrou em cima da mesa, mas ele não se mexeu para atender.

— Eu não vou sair desta casa. Pode avisar a ele — disse Conrad.

Virei a cabeça. O que isso queria dizer? Ele não ia embora? Tipo, nunca mais? Fiquei olhando fixamente para Conrad, mas ele parecia mais impassível que nunca.

Jeremiah se levantou, pegou o celular e entrou na casa. Fechou a porta deslizante ao passar. Pela primeira vez, Conrad e eu fomos deixados a sós. O ar entre nós parecia pesado, e me perguntei se Con lamentava o que tinha dito, mais cedo. Eu me perguntei se deveria dizer alguma coisa, tentar consertar a situação. Mas o que eu poderia dizer? Eu não sabia se havia alguma coisa que eu *pudesse* dizer.

Então nem tentei falar nada, só deixei o momento passar; simplesmente suspirei e me recostei na cadeira. O céu estava rosa e dourado. Tive a sensação de que não havia nada mais lindo que aquilo, que aquele pôr do sol particular estava à altura da beleza de qualquer outra coisa no mundo, dez vezes mais. Pude sentir a tensão do dia se afastando de mim e indo para o mar. Queria guardar aquilo tudo na minha memória, caso não voltasse mais ali. Nunca sabemos qual será a última vez que veremos um lugar. Ou uma pessoa.

18

Ficamos sentados vendo TV por um tempo. Jeremiah não fez mais nenhuma tentativa de falar com o irmão, e ninguém mencionou a faculdade ou o Sr. Fisher. Eu me perguntei se Jeremiah estava esperando para ficar a sós com ele de novo.

Eu me obriguei a bocejar. Sem me dirigir a ninguém em especial, anunciei:

— Estou muito cansada.

Assim que disse isso, me dei conta de que realmente estava exausta. Aquele parecia ter sido o dia mais longo da minha vida. Embora tudo que eu tenha feito foi andar de carro, eu me sentia completamente sem energia.

— Vou dormir — reforcei, bocejando de novo, desta vez de verdade.

— Boa noite — disse Jeremiah, mas Conrad não falou nada.

Assim que cheguei ao meu quarto, abri a mochila com as coisas que tinha levado para passar a noite e fiquei horrorizada com o que havia lá dentro. Tinha o biquíni novo de algodão lustroso da Taylor, suas adoradas sandálias plataforma, um vestido rendado, o short que o pai dela chamava de "roupa íntima feita de jeans", algumas blusas de seda e, em vez da camiseta que eu estava querendo usar para dormir, um conjunto de pijama de shortinho e regata cor-de-rosa com coraçõezinhos vermelhos. Tive vontade de matá-la. Eu tinha imaginado que ela acrescentaria itens ao que eu já estava levando, mas não que substituiria. A única coisa realmente minha era a roupa íntima.

Tive vontade de bater nela, e com força, só de pensar em me verem vestida com aquele pijama quando estava indo escovar os dentes de manhã. Eu sabia que Taylor tinha a melhor das intenções; ela achava que estava me fazendo um favor. Abrir mão das sandálias de plataforma para eu usar naquela noite era uma atitude altruísta para Taylor. Mas eu ainda estava brava.

Foi exatamente como a história com Cory. Taylor fez o que deu na cabeça dela e não se importou com o que eu pensava a respeito. Ela nunca se importava com o que eu pensava. Mas não era só culpa dela, porque eu a deixava agir assim.

Depois de escovar os dentes, vesti o pijama de Taylor e me deitei. Estava pensando se leria ou não um livro antes de cair no sono, um dos velhos títulos da minha estante, quando alguém bateu à porta. Puxei a coberta até o pescoço.

— Pode entrar.

Era Jeremiah. Ele entrou, fechou a porta e se sentou ao pé da minha cama.

— E aí? — perguntou, baixinho.

Soltei um pouco as cobertas. Era só Jeremiah.

— E aí? Como foi lá? Você conversou com ele?

— Ainda não. Vou dar uma folga pra ele hoje à noite e tentar de novo amanhã. Só estou tentando preparar o terreno primeiro, plantar algumas sementes.

Ele me lançou um olhar conspirador.

— Você sabe como ele é.

Eu sabia.

— Tudo bem. Talvez seja melhor assim.

Ele levantou a mão para eu bater.

— Não se preocupe. Estamos no controle.

Bati na mão dele.

— Estamos no controle — repeti.

Pude ouvir a dúvida na minha voz, mas Jeremiah apenas sorriu, como se a situação estivesse resolvida.

19

Jeremiah

Quando Belly se levantou para ir dormir, soube que ela queria que eu ficasse e tentasse conversar com Conrad sobre a faculdade. Eu sabia disso porque, quando éramos pequenos, costumávamos praticar telepatia um com o outro. Belly estava convencida de que eu conseguia ler a mente dela, e ela, a minha. A verdade era que eu simplesmente conseguia decifrar Belly. Sempre que ela estava prestes a mentir, estreitava um pouco o olho esquerdo. Toda vez que estava nervosa, sugava as bochechas antes de falar. Para mim, era fácil interpretar os gestos dela, sempre foi.

Olhei para Conrad.
— Quer acordar cedo e pegar onda amanhã? — perguntei.
— Claro.
No dia seguinte, eu falaria com ele sobre a faculdade e sobre como era importante que ele voltasse. Ia dar tudo certo.

Vimos um pouco mais de TV, e, quando Conrad caiu no sono no sofá, subi para o meu quarto. A luz do quarto da Belly, no fim do corredor, ainda estava acesa. Fui até lá, fiquei parado do lado de fora e bati de leve na porta. Estava me sentido um idiota parado do lado de fora da porta dela, batendo. Quando éramos crianças, a gente simplesmente ia entrando e saindo dos quartos uns dos outros sem nem pensar. Queria que ainda fosse assim tão simples.

— Pode entrar — disse ela.
Entrei e me sentei na beira da cama. Quando percebi que ela já estava de pijama, quase dei meia-volta e saí. Precisei lembrar a mim mesmo que já a vira de pijama um milhão de vezes, então qual era o

problema? Mas ela sempre usava uma camiseta largona, como todos nós, e agora estava usando uma blusinha rosa de alcinhas. Fiquei me perguntando se era confortável dormir com aquilo.

20

4 de julho

QUANDO ACORDEI, NA MANHÃ SEGUINTE, NÃO ME LEVANTEI IMEDIAtamente. Continuei lá, deitada, e fingi que era uma manhã como outra qualquer na casa de praia. Meus lençóis tinham o mesmo cheiro. Meu ursinho de pelúcia, Junior Mint, ainda estava na mesma posição na cômoda. Estava tudo exatamente como sempre. Susannah e minha mãe davam uma caminhada na praia, e os meninos comiam os bolinhos de mirtilo; para mim só sobraria o cereal integral da minha mãe. Restaria apenas um pouco de leite na caixa e mais nenhum suco. Isso costumava me deixar furiosa. Agora, eu sorria ao lembrar.

Mas era tudo fictício. Eu sabia. Não havia nenhuma mãe, nenhum irmão, nenhuma Susannah ali.

Apesar de ter ido para a cama cedo na noite anterior, dormi até tarde. Já eram quase onze da manhã. Eu tinha dormido por doze horas. Fazia semanas que não dormia tão bem.

Saí da cama e fui olhar pela janela. Olhar pela janela do meu quarto na casa de praia sempre fazia com que eu me sentisse melhor. Queria que todas as janelas dessem para o mar, com nada além de quilômetros e quilômetros de areia e água salgada. Na praia, Jeremiah e Conrad estavam com seus trajes pretos de surfe, sentados em suas pranchas. Era uma visão muito familiar. E, de repente, me senti esperançosa. Talvez Jere tivesse razão. Talvez Conrad voltasse conosco, afinal.

E então eu voltaria para casa, para longe dele e de tudo que me fazia lembrar dele. Eu frequentaria a piscina da vizinhança, iria à lanchonete com Taylor, e logo o verão terminaria. E eu me esqueceria de como as coisas costumavam ser.

Aquela realmente era a última vez.

★ ★ ★

Antes de qualquer outra coisa, resolvi ligar para Taylor. Expliquei que estávamos todos em Cousins e só precisávamos convencer Conrad a voltar para a faculdade logo, e a terminar o curso de verão.

A primeira coisa que ela disse foi:

— Belly, o que você acha que está fazendo?

— Como assim?

— Você sabe o que quero dizer. Que confusão. Você devia estar em casa, onde é o seu lugar.

Suspirei.

— Por que você se importa se o Conrad abandonar a faculdade? Se ele quer ser um fracassado, o problema é dele.

Embora eu soubesse que ninguém podia me escutar, baixei o tom de voz.

— Ele está passando por um monte de coisas complicadas e precisa da gente.

— Ele precisa do irmão. Que, aliás, é mais gostoso que ele. Acorda! Conrad não precisa de você. Na verdade, ele traiu você, lembra?

Agora eu estava sussurrando.

— Ele não me traiu, e você sabe disso. A gente já tinha terminado. E a gente nem sequer chegou a ser um casal, pra falar a verdade.

Essa última parte foi difícil de dizer.

— Ah, sei... não traiu. Ele só deu o fora em você logo depois do baile. Que cara *incrível*.

Eu a ignorei.

— Você pode, por favor, ainda dar aquela desculpa se minha mãe ligar?

Taylor bufou.

— Dã. Você sabe que eu sou uma amiga leal.

— Obrigada. Ah, e *muito* obrigada por tirar todas as minhas roupas da mochila.

— De nada — respondeu ela, toda convencida. — E, Belly?

— Sim?

— Não se esqueça da sua missão.

— Bom, o Jeremiah está vendo isso com ele...

— Não é isso, boba. Estou falando da sua *missão*. Precisa fazer o Conrad querer você de volta, e então dar um fora nele. Um fora bem dado.

Agradeci por estarmos ao celular, para que ela não pudesse me ver revirando os olhos. Mas até que tinha certa razão. Taylor nunca se magoava porque era ela quem ficava no comando. Ela dava as cartas. Os meninos a desejavam, não o contrário. Ela estava sempre citando aquela fala de *Uma Linda Mulher*, aquela sobre ser uma prostituta:

— Eu digo quem, eu digo quando, eu digo quem.

Não que a ideia não me agradasse. Era só que aquilo jamais iria funcionar. Fazer Conrad me notar da primeira vez, mesmo que brevemente, tinha sido quase impossível. Eu não acreditava que daria certo uma segunda vez.

Depois que Taylor e eu desligamos, liguei para minha mãe. Disse a ela que passaria aquela noite na casa de Taylor de novo, que ela ainda estava chateada demais para eu ir embora. Minha mãe concordou.

— Você é uma boa amiga — disse.

Percebi alívio em sua voz quando ela pediu que eu mandasse um abraço para os pais da Taylor.

Mamãe nem questionou a mentira. Pude perceber que tudo que ela queria era ser deixada a sós com sua dor.

Tomei um banho e vesti as roupas que Taylor tinha escolhido para mim. Uma regata leve branca com flores bordadas na parte superior e o já conhecido short jeans.

Desci com o cabelo ainda úmido, puxando o short para baixo. Os meninos tinham voltado para casa e estavam sentados à mesa da cozinha comendo os bolinhos açucarados de canela que Susannah costumava acordar cedo para comprar.

— Olhe o que eu comprei — disse Jeremiah, empurrando o saquinho de papel branco na minha direção.

Peguei o saquinho e enfiei metade de um bolinho na boca. Ainda estava morninho.

— Delícia — falei, com a boca cheia. — E então... o que está rolando?

Jeremiah olhou para Conrad, esperançoso.

— Con?

— É melhor vocês dois saírem logo, se quiserem fugir do trânsito do feriado de Quatro de Julho — recomendou Conrad, e me doeu ver a expressão no rosto de Jeremiah.

— Nós não vamos embora sem você — declarou Jere.

Conrad bufou.

— Olhe aqui, Jere, agradeço você ter vindo, mas, como pode ver, estou ótimo. Está tudo sob controle.

— O caramba que está. Con, se você não voltar pra fazer as provas na segunda-feira, vai estar fora da universidade. Você só está fazendo o curso de verão para recuperar as disciplinas incompletas do último semestre. Se não voltar, o que vai acontecer?

— Não se preocupe com isso. Vou dar um jeito.

— Você vive dizendo isso, mas, cara, você não deu jeito em merda nenhuma. Tudo que fez até agora foi fugir.

Pela cara de raiva de Conrad, eu soube que Jeremiah tinha dito a coisa certa. O antigo sistema de valores de Conrad ainda estava ali, enterrado sob a raiva. O velho Conrad jamais desistiria.

Foi minha vez de falar. Respirei fundo.

— Como você vai se tornar médico sem um diploma da faculdade, Conrad?

Ele virou o rosto duas vezes para mim, e então me encarou. Eu o encarei. Sim, eu tinha dito aquilo. Eu diria o que fosse preciso, mesmo que o magoasse.

Era algo que eu tinha aprendido observando Conrad em basicamente todos os jogos que jogamos. Ao primeiro sinal de fraqueza, era preciso atacar com toda a força. Atacamos e usamos todas as armas ao nosso dispor, sem desistir. Sem misericórdia.

— Eu nunca disse que seria médico — disparou. — Você não sabe do que está falando.

— Então compartilhe com a gente — insisti, com o coração batendo muito rápido.

Ninguém disse nada. Por um minuto, achei que ele realmente pudesse nos deixar entrar.

Então, finalmente, Conrad se levantou.

— Não tenho nada a dizer. Vou sair. Valeu pelos bolinhos, Jere.

Para mim, ele disse:

— Tem açúcar na sua cara toda.

E assim Conrad apenas se levantou e abriu a porta da varanda.

Depois que ele saiu, Jeremiah gritou:

— Merda!

— Eu achei que você fosse convencê-lo! — falei, em um tom mais acusatório do que eu pretendia.

— Não dá para pressionar demais o Conrad, ele simplesmente se fecha — retrucou Jeremiah, amassando o saco de papel.

— Ele já é um cara fechado.

Olhei para Jeremiah, e ele parecia completamente derrotado. Me senti mal por perder a paciência, então estendi a mão e toquei no braço dele.

— Não se preocupe. Ainda temos tempo. Ainda é sábado, certo?

— Certo — confirmou Jere, mas não pareceu estar falando sério.

Nenhum de nós disse mais nada. Como sempre, era Conrad quem ditava o humor da casa, como todos os demais se sentiam. Nada ficaria bem até as coisas estarem bem com Conrad.

21

A primeira vez que me dei conta, naquele dia, foi quando estava no banheiro, limpando o açúcar do meu rosto. Como não havia nenhuma toalha pendurada, abri o armário de toalhas; na fileira abaixo das toalhas de praia, estava o grande chapéu de Susannah, que ela sempre usava quando ia à praia. Ela era cuidadosa com a pele. *Era*.

Não pensar em Susannah, conscientemente não pensar nela, tornava tudo mais fácil. Porque daí ela não estava realmente *morta*. Estava apenas em outro lugar. Era o que eu vinha fazendo desde sua morte. Eu não pensava nela. Era mais fácil fazer isso na minha casa. Mas, ali, na casa de praia, ela estava em toda parte.

Peguei o chapéu dela, segurei-o por um instante e o coloquei de volta na prateleira. Fechei a porta, e meu peito doeu tanto que eu não conseguia respirar. Era difícil demais. Estar ali, naquela casa, era difícil demais.

Subi a escada correndo o mais rápido que consegui. Tirei o colar de Conrad, tirei as roupas e vesti o biquíni de Taylor. Não me importei em quanto eu parecia idiota com ele, só queria estar na água. Queria estar onde não precisasse pensar em nada, onde nada mais existisse. Eu ia nadar, flutuar, inspirar, expirar e simplesmente ser.

Como sempre, minha velha toalha Ralph Lauren de ursinho estava guardada no armário das toalhas. Coloquei-a ao redor dos ombros, como um cobertor, e saí. Jeremiah comia um sanduíche de ovo e tomava leite direto da caixa.

— E aí? — cumprimentou.

— E aí? Eu vou nadar.

Não perguntei onde Conrad estava e não convidei Jeremiah a me acompanhar. Eu precisava de um momento sozinha.

Empurrei a porta deslizante e a fechei sem esperar que ele respondesse. Atirei a toalha em uma cadeira e mergulhei. Não voltei à superfície imediatamente para respirar. Fiquei lá embaixo. Prendi a respiração até o último segundo.

Quando subi à tona, senti como se pudesse respirar de novo, como se meus músculos estivessem relaxando. Nadei para lá e para cá, para lá e para cá. Ali, nada mais existia. Ali, eu não precisava pensar. A cada vez que eu mergulhava, prendia a respiração pelo máximo de tempo possível.

Mesmo embaixo d'água, ouvi Jere chamar meu nome. Com relutância, voltei à superfície, e ele estava agachado na lateral da piscina.

— Vou dar uma saída. Talvez eu compre uma pizza no Nello's — avisou, ficando de pé.

Afastei os cabelos dos olhos.

— Mas você acabou de comer um sanduíche. E aquela porção de bolinhos.

— Estou em fase de crescimento. E isso foi uma hora e meia atrás.

Uma hora e meia? Eu estava nadando fazia uma hora e meia? Pareciam ter passado apenas alguns minutos.

— Ah — falei.

Dei uma olhada nos dedos. Estavam completamente enrugados.

— Continue aí — disse Jeremiah, me incentivando.

— Até daqui a pouco. — Eu me despedi, tomando impulso na lateral da piscina.

Nadei o mais rápido que pude até o outro lado e fiz a virada, só para o caso de ele ainda estar olhando. Jere sempre admirou minhas viradas.

Fiquei na piscina por mais uma hora. Quando levantei o rosto para tomar ar depois da última volta, percebi que Conrad estava sentado na cadeira em que eu havia deixado minha toalha. Ele a estendeu para mim em silêncio.

Saí da piscina. De repente, estava tremendo. Peguei a toalha e a enrolei no corpo. Ele não olhou para mim.

— Você ainda finge que está nas Olimpíadas? — perguntou.

Comecei a falar, então balancei a cabeça e me sentei ao lado dele.

— Não — respondi, e a palavra ficou pairando no ar.

Abracei os joelhos junto ao peito.

— Não mais.

— Quando você nada... — começou ele. Achei que não fosse continuar, mas então completou: — Você não notaria se a casa estivesse pegando fogo. Você fica tão envolvida no que está fazendo que é como se estivesse em outro lugar.

Ele disse isso com um respeito relutante. Como se estivesse me observando fazia muito tempo, como se viesse me observando havia anos. O que, acho, ele vinha mesmo fazendo.

Abri a boca para responder, mas ele já estava de pé, voltando para a casa. Quando fechou a porta deslizante, respondi em voz alta:

— É por isso que eu gosto.

22

Eu estava de volta ao meu quarto e já ia tirar o biquíni quando meu celular tocou. Era o toque de Steven, uma música de Taylor Swift que ele fingia detestar, mas secretamente adorava. Por um instante, pensei em não atender. Mas, se eu não atendesse, ele continuaria ligando até falar comigo. Meu irmão era bem irritante.

— Alô? — atendi como se estivesse em dúvida, como se já não soubesse que era Steven.

— E aí? — disse ele. — Não sei onde você está, mas sei que não está com a Taylor.

— Como você sabe disso? — sussurrei.

— Acabei de cruzar com ela no shopping. Ela mente pior que você. Onde você está?

Mordisquei o lábio superior.

— Na casa de praia. Em Cousins.

— O quê?! — Ele quase gritou. — Por quê?

— É meio que uma longa história. Jeremiah precisava da minha ajuda com o Conrad.

— Então ele ligou *pra você*?

Meu irmão parecia incrédulo, talvez até com um pouco de inveja.

— É.

Ele estava morrendo de vontade de me perguntar mais coisas, mas eu contava com o fato de que seu orgulho não iria permitir que fizesse isso. Steven detestava ser deixado de fora. Ficou em silêncio por um momento, e, durante aqueles segundos, tive certeza de que ele estava se perguntando sobre todas as coisas da casa de verão que estávamos fazendo sem ele.

Depois de um tempo, Steven disse:

— A mamãe vai ficar furiosa.
— E daí? Isso importa?
— Pra mim não importa, mas pra mamãe, sim.
— Steven, relaxa. Nós vamos voltar logo. Só precisamos fazer uma última coisa.
— Que última coisa?

Steven estava morrendo por eu saber de algo que ele não sabia, para variar, por ter sido deixado de lado. Achei que eu fosse sentir mais prazer com isso, mas me senti estranhamente com pena.

Então, em vez de me exibir como normalmente faria, eu disse:
— Conrad abandonou o curso de verão e precisamos levá-lo de volta para a faculdade a tempo para as provas na segunda-feira.

Essa seria a última coisa que eu faria por ele. Levá-lo até a faculdade. Depois, ele estaria livre. E eu também.

Depois que Steven e eu desligamos, ouvi um carro parando na frente da casa. Olhei pela janela, e lá estava um Honda vermelho, um carro que não reconheci. Quase nunca recebíamos visitas na casa de praia.

Passei um pente no cabelo e desci apressadamente a escada com a toalha enrolada no corpo. Parei quando vi Conrad abrir a porta, e uma mulher entrou. Ela era pequena, com cabelo loiro descolorido preso em um coque frouxo. Estava com uma calça preta e uma blusa de seda coral. Suas unhas estavam pintadas com uma cor combinando com a blusa. A mulher tinha uma grande pasta na mão e um molho de chaves.

— Nossa, olá — disse ela.

Estava surpresa por vê-lo, como se fosse ela quem deveria estar ali, e não ele.

— Oi — disse Conrad. — Posso ajudar?
— Você deve ser o Conrad. Nós falamos ao telefone. Sou Sandy Donatti, a corretora de imóveis do seu pai.

Conrad não disse nada.

Ela agitou o dedo para ele com ar divertido.

— Você me disse que seu pai tinha mudado de ideia em relação à venda.

Como Conrad continuou sem dizer nada, ela olhou ao redor e me viu parada ao pé da escada. Franziu a testa e disse:

— Só estou aqui para dar uma olhada na casa, me certificar de que está dando tudo certo, com as coisas sendo encaixotadas.

— É, eu mandei o pessoal da empresa de mudança embora — disse Conrad, tranquilo.

— Eu realmente gostaria que você não tivesse feito isso — retrucou ela, estreitando os lábios.

Conrad deu de ombros, e a mulher acrescentou:

— Disseram que a casa estaria vazia.

— Então deram a informação errada. Vou ficar aqui até o fim do verão.

Ele apontou para mim.

— Aquela é a Belly.

— Belly? — repetiu ela.

— É. Minha namorada.

Acho que arfei alto.

Cruzando os braços e se apoiando na parede, ele continuou:

— E como você e meu pai se conheceram?

Sandy Donatti corou.

— Nós nos conhecemos quando ele decidiu colocar a casa à venda — respondeu.

— Bom, acontece, Sandy, que esta casa não é do meu pai para ele decidir vender. Na verdade, a casa é da minha mãe. Meu pai lhe contou isso?

— Sim.

— Então acho que ele também contou a você que ela morreu.

Sandy hesitou. Sua raiva pareceu se evaporar à menção de uma mãe morta. Ela ficou tão desconfortável que começou a se virar na direção da porta.

— Sim, ele me contou. Sinto muito por sua perda.

— Obrigado, Sandy. Isso significa muito, ainda mais vindo de você.

Os olhos dela percorreram a sala uma última vez.

— Bom, vou conversar com seu pai de novo e depois eu volto.

— Faça isso. Certifique-se de dizer a ele que a casa não está à venda.

Ela comprimiu os lábios, então abriu a boca para falar, mas pensou melhor. Conrad abriu a porta para ela, que foi embora.

Soltei a respiração. Um milhão de pensamentos estavam passando pela minha cabeça — tenho vergonha de admitir que o *namorada* estava basicamente no topo da lista. Conrad não olhou para mim quando disse:

— Não conte ao Jeremiah a respeito da casa.

— Por que não?

Minha mente ainda estava concentrada na palavra "namorada". Conrad levou tanto tempo para me responder que eu já estava voltando para o andar de cima quando ouvi:

— Eu vou contar a ele. Só não quero que ele saiba ainda. Sobre nosso pai.

Parei de subir. Sem pensar, perguntei:

— O que você está querendo dizer?

— Você sabe o que estou querendo dizer.

Conrad olhou para mim, um olhar firme.

Acho que eu sabia. Ele queria proteger o irmão do fato de que o pai deles era um idiota. Mas não era como se Jeremiah já não soubesse quem era o pai deles. Não era como se Jeremiah fosse um garoto bobo sem noção. Ele tinha o direito de saber que a casa estava à venda.

Acho que Conrad leu tudo isso no meu rosto, porque disse, daquele jeito debochado e descontraído dele:

— Pode fazer isso por mim, Belly? Pode guardar um segredo do seu melhor amigo de todos os tempos? Sei que você e Jere não guardam segredos um do outro, mas será que você consegue fazer isso só desta vez?

Quando olhei furiosa para ele, preparada para lhe dizer o que ele podia fazer com o segredo, Conrad completou:
— Por favor? — E sua voz soou quase como uma súplica.
— Tudo bem. Mas só por um tempo.
— Obrigado — respondeu ele, passando por mim, subindo a escada e entrando no quarto.
Ele fechou a porta do quarto dele e ligou o ar-condicionado.
Fiquei parada.
Levou um minuto para tudo aquilo fazer sentido. Conrad não fugiu só para surfar. Ele não fugiu por fugir. Ele tinha vindo salvar a casa.

23

MAIS TARDE, JEREMIAH E CONRAD FORAM PEGAR ONDA DE NOVO. Pensei que talvez Conrad quisesse contar ao irmão a respeito da casa, só os dois juntos. E que talvez Jeremiah quisesse tentar conversar com Conrad sobre a faculdade mais uma vez, só os dois. Por mim, tudo bem. Gostei apenas de observar.

Fiquei olhando os dois da varanda. Sentei em uma espreguiçadeira com a toalha amarrada bem apertada em volta do corpo. Tinha algo muito reconfortante em sair da piscina molhada e nossa mãe colocar uma toalha ao redor dos nossos ombros, como uma capa. Mesmo sem nenhuma mãe ali para fazer isso por nós, ainda era uma sensação boa, aconchegante. Dolorosamente familiar, de uma maneira que fazia eu me sentir com oito anos. Oito anos antes da morte, do divórcio ou do coração partido. Oito anos eram apenas oito anos. Cachorros-quentes, manteiga de amendoim, picadas de mosquito e farpas, bicicletas e pranchas de bodyboard. Cabelo embaraçado, ombros queimados de sol, livros da Judy Blume, deitada na cama às nove e meia.

Fiquei lá, sentada, tendo aqueles pensamentos melancólicos por um longo tempo. Alguém fazia churrasco, senti o cheiro do carvão queimando. Me perguntei se eram os Rubenstein ou os Toler. Fiquei pensando se estavam preparando hambúrgueres ou bifes. Então me dei conta de que estava com fome.

Entrei na cozinha, mas não encontrei nada para comer. Só tinha a cerveja de Conrad. Certa vez, Taylor me disse que cerveja era que nem pão: puro carboidrato. Pensei que, embora eu detestasse o gosto, talvez bebesse uma, se fosse para me satisfazer.

Então peguei uma cerveja e saí com ela. Sentei de volta na espreguiçadeira e abri a latinha. O barulho foi bem satisfatório. Era estranho estar naquela casa sozinha. Não era uma sensação ruim, apenas diferente. Eu ia àquela casa todos os anos da minha vida, e dava para contar nos dedos de uma só mão o número de vezes em que fiquei sozinha lá. Me senti mais velha. Eu realmente estava mais velha, mas acho que não me lembrava de ter tido essa sensação no verão anterior.

Tomei um longo gole de cerveja e fiquei feliz por Jeremiah e Conrad não estarem ali para me ver, porque fiz uma careta horrorosa, e sabia que eles pegariam no meu pé por isso.

Estava tomando outro gole quando ouvi alguém pigarrear. Ergui os olhos e quase me engasguei. Era o Sr. Fisher.

— Olá, Belly — cumprimentou ele.

Estava de terno, como se tivesse vindo direto do trabalho, o que provavelmente era verdade, embora fosse sábado. E, sabe-se lá como, o terno dele não estava sequer amarrotado, mesmo depois de ele ter dirigido por tanto tempo.

— Oi, Sr. Fisher — falei, e minha voz saiu toda nervosa e hesitante.

Meu primeiro pensamento foi: *A gente devia simplesmente ter obrigado o Conrad a entrar no carro e voltar para a faculdade e fazer aquelas provas idiotas.* Ter dado tempo a ele foi um enorme erro. Agora eu entendia. Eu deveria ter colocado pressão em Jeremiah para ele convencer logo o irmão.

O Sr. Fisher ergueu uma das sobrancelhas para minha cerveja, e me dei conta de que ainda estava segurando a latinha, os dedos tão firmes ao redor dela que estavam dormentes. Deixei-a no chão, e meu cabelo caiu no rosto; fiquei grata por isso. O momento era de se esconder, de descobrir o que dizer em seguida.

Fiz o que sempre fazia: falei dos meninos.

— Ahn, então, o Conrad e o Jeremiah não estão aqui.

Minha mente estava a mil. Os dois voltariam a qualquer minuto.

O Sr. Fisher não disse nada, apenas assentiu e esfregou a nuca. Então subiu os degraus da varanda e sentou-se na cadeira ao lado da minha. Pegou minha cerveja e tomou um longo gole.

— Como está o Conrad? — perguntou, apoiando a latinha no braço de sua cadeira.

— Ele está bem — respondi imediatamente.

Então me senti uma tola, porque Conrad não estava nem um pouco bem. A mãe dele tinha acabado de morrer. Ele havia largado a faculdade. Como poderia estar bem? Como algum de nós poderia estar? Mas acho que, de certa maneira, Conrad estava bem, porque tinha arranjado um novo propósito. Tinha um motivo. Para viver. Tinha uma meta, um inimigo. Eram bons incentivos. Mesmo que o inimigo fosse o próprio pai.

— Não sei o que esse garoto está pensando — comentou o Sr. Fisher, balançando a cabeça.

O que eu poderia responder? Eu também nunca sabia o que Conrad estava pensando. Tinha certeza de que não havia muita gente que soubesse. Ainda assim, fiquei na defensiva. Protetora.

O Sr. Fisher e eu ficamos sentados em silêncio. Não um silêncio sociável e tranquilo, mas tenso e terrível. Ele nunca tinha nada para me dizer, e eu nunca sabia o que falar para ele. Finalmente, ele pigarreou e perguntou:

— Como está a escola?

— De férias — respondi, mordiscando o lábio inferior e me sentindo com doze anos. — As aulas acabaram de terminar. Este ano, começo o último ano.

— Já sabe onde quer fazer faculdade?

— Na verdade, não.

Eu sabia que essa era a resposta errada, porque faculdade era uma coisa sobre a qual o Sr. Fisher tinha interesse em conversar. Bom, o tipo certo de faculdade, pelo menos.

Ficamos em silêncio novamente.

Isso também era bastante familiar. A sensação de pavor, de desgraça iminente. A sensação de que eu estava encrencada. De que todos nós estávamos.

24

Milk-shake. O Sr. Fisher gostava de milk-shake. Quando ele vinha para a casa de praia, a gente tomava milk-shake o tempo todo. Ele comprava uma caixa de sorvete napolitano. Steven e Conrad gostavam do de chocolate; Jeremiah, do de morango; e eu gostava de um mix de baunilha com chocolate, como os Frosties no Wendy's. Mas muito mal batido. Os milk-shakes do Sr. Fisher eram melhores que os do Wendy's. Ele tinha um liquidificador sofisticado que gostava de usar, no qual nenhum de nós devia mexer. Não que ele tenha dito isso com essas palavras, mas sabíamos que não era para mexer. E nunca mexemos. Até Jeremiah ter a ideia de fazer as raspadinhas de Ki-Suco.

Não havia 7-Elevens em Cousins, e, embora tomássemos milk-shakes, às vezes tínhamos desejo das raspadinhas de lá.

Quando estava especialmente quente, um de nós dizia "nossa, como eu queria tomar uma raspadinha", e então todo mundo ficava pensando nisso o dia inteiro. Por isso, quando Jeremiah teve a ideia de fazer uma raspadinha de Ki-Suco, eu fiquei vidrada. Ele tinha nove anos, e eu, oito. Na época, aquela pareceu a melhor ideia do mundo.

Vimos o liquidificador bem no alto da última prateleira. A gente sabia que precisaria usá-lo — na verdade, a gente *queria muito* usá-lo. Mas havia aquela regra tácita.

Não tinha mais ninguém em casa além de nós. Ninguém jamais precisaria saber.

— De que sabor você quer? — perguntou Jere.

E assim ficou decidido. Aquilo ia acontecer. Fiquei com medo, mas também eufórica por estarmos fazendo aquela coisa proibida. Eu raramente desobedecia as regras, mas aquela parecia uma boa regra a ser quebrada.

— Cereja preta — respondi.

Jeremiah procurou no armário, mas não tinha Ki-Suco de cereja preta.

— Qual é seu segundo sabor favorito? — perguntou.

— Uva.

Ele disse que também achava uma boa tomar raspadinha de Ki-Suco de uva. Quanto mais ele falava em "raspadinha de Ki-Suco", mais eu gostava da ideia.

Jeremiah pegou um banquinho e tirou o liquidificador da prateleira de cima. Colocou o pacote inteiro de suco de uva no liquidificador e acrescentou duas xícaras grandes de açúcar. Ele me deixou mexer. Então esvaziou a forma de gelo no liquidificador, até o copo ficar cheio até a borda, e prendeu em cima, como vimos o Sr. Fisher fazer um milhão de vezes.

— Aperto Pulsar? Ou frapê? — perguntou.

Dei de ombros. Nunca prestei muita atenção quando o Sr. Fisher usava o liquidificador.

— Provavelmente frapê — respondi, porque gostava do som daquela palavra.

Então Jeremiah apertou o botão frapê, e o liquidificador começou a cortar e a zunir. Mas como só a parte de baixo estava sendo misturada, Jeremiah apertou o botão liquidificar. A mistura continuou batendo por um minuto, mas daí o liquidificador começou a cheirar a borracha queimada, e fiquei preocupada que estivesse sobrecarregado com todo aquele gelo.

— Precisamos mexer mais. Ajude aqui.

Peguei a maior colher de pau, tirei a tampa do liquidificador e mexi tudo.

— Está vendo? — falei.

Coloquei a tampa de volta, mas acho que não encaixei direito, porque quando Jeremiah apertou o botão frapê, nossa raspadinha de Ki-Suco de uva se espalhou por toda parte: na gente, nos balcões brancos novos, no chão, em cima da pasta de couro marrom do Sr. Fisher.

Nós nos encaramos, apavorados.

— Rápido, pegue toalhas de papel! — gritou Jeremiah, arrancando o liquidificador da tomada.

Pulei em cima da pasta para limpá-la com a parte de baixo da camiseta. O couro já estava manchando, e a pasta tinha começado a ficar pegajosa.

— Ah, cara — sussurrou Jeremiah. — Ele adora essa pasta.

E adorava mesmo. Tinha as iniciais dele gravadas no fecho de metal. O Sr. Fisher realmente adorava aquela pasta, talvez ainda mais do que o liquidificador.

Eu estava me sentindo péssima. Meus olhos se encheram de lágrimas. Era tudo culpa minha.

— Me desculpe — pedi.

Jeremiah estava no chão, de quatro, limpando. Ele olhou para mim, com Ki-Suco de uva pingando da testa.

— Não é culpa sua.

— É, sim — falei, esfregando o couro.

Minha camiseta estava começando a ficar marrom de tanto eu esfregar a pasta com força.

— Bom, é verdade, meio que é — concordou Jeremiah.

Então ele estendeu o braço, tocou na minha bochecha com o dedo e lambeu parte do açúcar.

— Mas o gosto está bom.

Estávamos dando risada e deslizando pelo chão com toalhas de papel nos pés quando todos voltaram para casa. Eles entraram com sacolas de papel, do tipo usado para embalar lagostas, e Steven e Conrad estavam tomando sorvete.

— O que aconteceu aqui? — perguntou o Sr. Fisher.

Jeremiah se enrolou:

— A gente só estava...

Entreguei a pasta ao Sr. Fisher, a mão tremendo.

— Me desculpe — sussurrei. — Foi um acidente.

Ele pegou a pasta da minha mão e olhou para o couro manchado.

— Por que você estava usando meu liquidificador? — perguntou o Sr. Fisher, mas estava olhando para Jeremiah.

Seu pescoço estava totalmente vermelho.

— Você sabe que não pode usar meu liquidificador.

Jeremiah assentiu.

— Me desculpe.

— Foi minha culpa — confessei baixinho.

— Ah, Belly — disse minha mãe, balançando a cabeça.

Ela se ajoelhou no chão e juntou as toalhas de papel encharcadas. Susannah tinha ido buscar o esfregão.

O Sr. Fisher bufou alto.

— Por que você nunca me escuta quando eu digo alguma coisa? Pelo amor de Deus. Eu não disse pra vocês nunca usarem este liquidificador?

Jeremiah mordiscou o lábio; seu queixo tremia tanto que dava para ver que ele estava prestes a chorar.

— Responda quando eu estiver falando com você.

Então Susannah voltou com o esfregão e o balde.

— Adam, foi um acidente. Deixa pra lá.

Ela passou os braços em volta de Jeremiah.

— Suze, se você o tratar feito um bebê, ele nunca vai aprender. Simplesmente vai continuar sendo um bebê — retrucou o Sr. Fisher. — Jere, eu disse ou não disse pra vocês nunca usarem o liquidificador?

Os olhos de Jeremiah se encheram de lágrimas, e ele piscou várias vezes, bem depressa, deixando algumas escaparem. E depois mais outras. Foi horrível. Eu me senti muito envergonhada por ele e culpada que tivesse sido eu quem provocou tudo aquilo contra meu amigo. Mas também me senti aliviada por não ser eu quem estava encrencada e chorando na frente de todo mundo.

Então Conrad interveio:

— Mas, papai, você nunca disse isso.

Tinha sorvete de chocolate na bochecha dele.

O Sr. Fisher se virou para o filho mais velho:

— O quê?

— Você nunca disse isso. A gente sabia que não devia usar, mas, tecnicamente, você nunca falou isso.

Conrad parecia assustado, mas sua voz estava tranquila.

O Sr. Fisher balançou a cabeça e olhou de novo para Jeremiah.

— Vá se limpar — ordenou, irritado.

Percebi que ele estava sem graça.

Susannah olhou furiosa para ele e levou Jeremiah até o banheiro. Minha mãe estava limpando os balcões, com os ombros tensos.

— Steven, leve sua irmã ao banheiro — mandou.

Seu tom de voz não deixou espaço para argumentação, e Steven agarrou meu braço e me levou para o andar de cima.

— Você acha que estou encrencada? — perguntei a Steven.

Ele limpou meu rosto meio sem jeito com um pedaço de papel higiênico molhado.

— Acho, mas não tanto quanto o Sr. Fisher. A mamãe vai acabar com ele.

— Como assim?

Steven deu de ombros.

— Foi algo que eu ouvi. Quer dizer que é o Sr. Fisher quem está encrencado.

Já com meu rosto limpo, Steven e eu voltamos para o corredor. Minha mãe e o Sr. Fisher estavam discutindo. Nós nos entreolhamos, arregalando os olhos ao ouvirmos nossa mãe disparar:

— Você às vezes consegue ser um bosta, Adam.

Abri a boca, prestes a soltar uma exclamação de espanto, quando Steven colocou a mão sobre meus lábios e me arrastou até o quarto dos meninos. Ele fechou a porta depois que entramos. Seus olhos brilhavam de tanta empolgação. Nossa mãe tinha xingado o Sr. Fisher.

— A mamãe chamou o Sr. Fisher de bosta.

Nunca havia escutado minha mãe dizer isso a respeito de alguém, mas foi bem engraçado. Imaginei o Sr. Fisher no formato de um cocô e dei uma boa risada.

Foi tudo muito emocionante e terrível. Nenhum de nós jamais se encrencara pra valer na casa de praia. Nenhuma grande encrenca, pelo menos. Era basicamente uma enorme zona livre de encrencas.

As mães ficavam mais relaxadas na casa de praia. Em casa, Steven levava bronca se retrucasse, mas ali minha mãe parecia não se importar tanto. Provavelmente porque, na casa de Cousins, nós, crianças, não éramos o centro do mundo. Minha mãe se mantinha ocupada com outras coisas, como jardinagem, visitas a galerias de arte com Susannah, desenho e livros. Estava ocupada demais para ficar brava ou incomodada. Nós não tínhamos toda a sua atenção.

Isso era ao mesmo tempo bom e ruim. Bom porque sempre nos safávamos de tudo. Ninguém dava bola se ficávamos brincando na praia até depois da hora de dormir ou se comíamos a sobremesa e depois repetíamos. Ruim porque eu tinha a vaga sensação de que Steven e eu não éramos tão importantes ali, que havia outras coisas que ocupavam a mente da minha mãe — lembranças das quais não fazíamos parte, de uma vida anterior à nossa existência. E também a vida secreta dentro dela, onde Steven e eu não existíamos. Era como quando ela viajava sem a gente. Eu sabia que ela não sentia nossa falta nem pensava muito em nós.

Eu detestava pensar isso, mas era verdade. As mães tinham toda uma vida independente de nós. Acho que nós também.

25

Quando Jeremiah e Conrad voltaram da praia com as pranchas embaixo dos braços, tive a ideia maluca de que deveria tentar avisá-los de algum jeito. Dando um assovio ou coisa parecida. Mas eu não sabia assoviar, e, de qualquer maneira, era tarde demais.

Eles guardaram as pranchas, subiram os degraus e nos viram ali, sentados. O corpo todo de Conrad se enrijeceu, e vi Jeremiah resmungar "*merda*" baixinho antes de dizer:

— Oi, pai.

Conrad passou direto por nós e entrou em casa.

O Sr. Fisher o seguiu, e Jeremiah e eu nos entreolhamos por um instante. Ele se inclinou na minha direção.

— Que tal você pegar o carro enquanto eu pego as nossas coisas, e nós saímos correndo? — sugeriu.

Dei risada e cobri a boca com a mão. Eu duvidava que o Sr. Fisher fosse gostar de me ver dando risada com todas aquelas coisas sérias acontecendo ali. Me levantei e endireitei a toalha ao redor do corpo, apertando debaixo dos braços. Então nós dois entramos também.

Conrad e o Sr. Fisher estavam na cozinha. Con estava abrindo uma cerveja, sem nem ao menos olhar para o pai.

— Do que diabo vocês três estão brincando aqui? — perguntou o Sr. Fisher.

A voz dele soou muito alta e estranha dentro de casa. Ele estava olhando pela cozinha, pela sala de estar.

Jeremiah começou:

— Pai...

O Sr. Fisher encarou Jeremiah.

— Sandy Donatti me ligou hoje de manhã e me contou o que aconteceu. Você deveria levar o Conrad de volta à faculdade, não ficar e... e fazer festa e interferir na venda.

Jeremiah piscou.

— Quem é Sandy Donatti?

— É a nossa corretora de imóveis — respondeu Conrad.

Percebi que minha boca estava aberta e a fechei de repente. Passei os braços ao redor do corpo com força, tentando ficar invisível. Talvez ainda não fosse tarde demais para Jeremiah e eu tentarmos fugir. Talvez assim ele jamais descobrisse que eu também sabia a respeito da venda da casa. Faria diferença para ele que eu tivesse ficado sabendo disso só desde aquela tarde? Eu duvidava.

Jeremiah olhou para Conrad e de novo para o pai.

— Eu não sabia que a gente tinha uma corretora de imóveis. Você nunca me contou que ia vender a casa.

— Eu disse que era uma possibilidade.

— Você nunca me disse que ia realmente fazer isso.

Conrad interrompeu, dirigindo-se apenas ao irmão.

— Não importa. Ele não vai vender a casa.

Con tomou um gole da cerveja, muito calmo, e todos ficamos esperando para ouvir o que ele ia dizer em seguida.

— A casa não é dele para ele vender.

— É, sim — respondeu o Sr. Fisher, com a respiração pesada. — Eu não estou fazendo isso por mim. O dinheiro vai ficar pra vocês dois.

— Você acha que eu me importo com o dinheiro? — Conrad finalmente o encarou, os olhos frios. Sua voz soava indiferente. — Eu não sou como você. Não dou a mínima pro dinheiro. Eu me importo com a casa. A casa da mamãe.

— Conrad...

— Você não tem o direito de estar aqui. É melhor ir embora.

O Sr. Fisher engoliu em seco, e notei o movimento de seu pomo de adão.

— Não, eu não vou embora.

— Avise à *Sandy* pra não se dar ao trabalho de voltar.

Conrad disse "Sandy" como se o nome fosse um insulto. Acho que essa era exatamente a intenção dele.

— Eu sou seu pai — disse o Sr. Fisher, rouco. — E sua mãe deixou essa decisão pra mim. Essa seria a vontade dela.

— Não fale sobre qual seria a vontade dela. — A casca macia de Conrad se quebrou, e a voz dele soou trêmula.

— Mas que droga, ela era minha mulher. Eu a perdi também.

Isso podia ser verdade, mas era exatamente a coisa errada a dizer a Conrad naquele momento. Fez com que ele explodisse. Ele deu um soco na parede mais próxima, e eu me encolhi. Fiquei surpresa que não tivesse feito um buraco.

— Você não a perdeu. Você a deixou. Você não sabe nada do que ela iria querer. Você nunca esteve presente. Foi um pai de merda e um marido ainda pior. Então não queira se dar ao trabalho de tentar fazer a coisa certa agora. Você ferrou com tudo!

— Con, cale a boca. Só cale essa boca — pediu Jeremiah.

Conrad se virou e gritou para o irmão:

— Você ainda está defendendo ele? Foi exatamente por isso que nós não contamos pra você!

— Nós? — repetiu Jeremiah.

Então ele olhou para mim e a expressão chocada em seu rosto me atravessou.

Comecei a falar, para tentar explicar, mas só consegui dizer:

— Eu só fiquei sabendo hoje, eu juro...

Então o Sr. Fisher me interrompeu:

— Você não é o único que está sofrendo, Conrad. Você não pode falar assim comigo.

— Eu acho que posso, sim.

Um silêncio mortal se instalou, e o Sr. Fisher parecia prestes a bater em Conrad, de tão bravo que estava. Os dois ficaram se encarando, e eu sabia que Conrad não seria o primeiro a desviar o olhar.

Foi o Sr. Fisher quem olhou para o lado.

— A empresa de mudança vai voltar, Conrad. Isso vai acontecer. Você ter um chilique não vai impedir.

Ele foi embora logo depois. Disse que voltaria na manhã seguinte, e suas palavras soaram ameaçadoras. Avisou que ficaria na pousada da cidade. Estava claro para todos nós que ele não podia esperar para sair daquela casa.

Nós três ficamos na cozinha depois de ele sair, sem dizer nada. Muito menos eu. Eu nem deveria estar ali. Pela primeira vez, desejei estar em casa com minha mãe, Steven e Taylor, longe de tudo aquilo.

Jeremiah foi o primeiro a falar.

— Eu não acredito que ele vai mesmo vender a casa — disse, quase para si mesmo.

— Pois pode acreditar — retrucou Conrad, irritado.

— Por que você não me contou? — perguntou Jeremiah.

Conrad olhou para mim antes de responder.

— Não achei que você precisasse saber.

Jeremiah estreitou os olhos.

— Como assim, Conrad? Esta casa também é minha.

— Jere, eu também acabei de descobrir.

Conrad sentou-se no balcão da cozinha, a cabeça baixa.

— Eu tinha ido pra casa pegar algumas roupas. A tal corretora de imóveis, Sandy, ligou e deixou um recado na secretária eletrônica, avisando que a empresa de mudanças viria pegar os itens que tinha encaixotado. Então voltei para a faculdade, peguei minhas coisas e vim direto pra cá.

Conrad tinha deixado a faculdade e tudo o mais para vir para a casa de praia, e a gente simplesmente pensou que ele estava encrencado e que precisava ser salvo. Na verdade, era ele quem estava salvando alguma coisa.

Eu me senti culpada por não ter dado a ele o benefício da dúvida, e sabia que Jeremiah estava sentindo o mesmo. Nós dois nos entreolhamos depressa, e eu soube que estávamos pensando exatamente a mesma coisa. Então acho que me lembrei de que ele estava furioso comigo também, e desviei o olhar.

— Então é isso? — disse Jeremiah.

Conrad não respondeu de imediato. Ele ergueu os olhos e só então foi capaz de falar.

— É, acho que sim.

— Bom, ótimo trabalho cuidando disso tudo, Con.

— Eu estava cuidando de tudo sozinho — retrucou Conrad. — Não que eu tenha tido alguma ajuda sua.

— Bom, quem sabe se você tivesse me falado...

— Você teria feito o quê? — interrompeu Conrad.

— Teria conversado com o papai.

— Pois é, exatamente.

Conrad não poderia ter se expressado de uma maneira mais desdenhosa.

— O que isso quer dizer?

— Quer dizer que você está tão ocupado correndo atrás dele que não consegue vê-lo pelo que ele realmente é.

Jeremiah não respondeu logo, e eu estava com muito medo do rumo que aquela conversa estava tomando. Conrad estava querendo briga, e a última coisa de que a gente precisava era que os dois começassem a se engalfinhar no chão da cozinha, quebrando as coisas e um ao outro. Desta vez, minha mãe não estava ali para impedi-los. Era só eu — ou seja, praticamente quase nada.

Então Jeremiah disse:

— Ele é nosso pai.

Ele falou com a voz firme, controlada, e eu soltei um pequeno suspiro de alívio. Não haveria briga, porque Jeremiah não deixaria isso acontecer. Eu o admirei por isso.

Mas Conrad apenas balançou a cabeça, indignado.

— Ele é um canalha.

— Não o chame assim.

— Que tipo de cara trai a mulher e depois a abandona quando ela descobre que está com câncer? Que tipo de homem faz isso? Eu não suporto nem olhar pra ele. Ele me deixa furioso, bancando o mártir, o viúvo sofredor. Mas onde ele estava quando a mamãe precisou dele, Jere?

— Eu não sei, Con. Onde você estava?

O ambiente ficou em silêncio, e a sensação que eu tive foi que o ar estava quase estalando. A forma como Conrad hesitou, a maneira como Jeremiah inspirou logo depois de dizer o que disse. Percebi que ele queria retirar o que disse, e estava prestes a fazer isso quando Conrad retrucou, em um tom coloquial:

— Que golpe baixo.

— Me desculpe — pediu Jeremiah.

Conrad deu de ombros, como se aquilo não tivesse qualquer importância.

— Por que você não pode simplesmente deixar pra lá? Por que precisa se prender a todas as coisas ruins que já aconteceram com você? — insistiu Jeremiah.

— Porque, ao contrário de você, eu vivo na realidade. Você prefere viver em um mundo de fantasia, em vez de ver as pessoas pelo que elas realmente são.

Conrad disse isso de um jeito que fez eu me perguntar sobre quem ele estava de fato falando.

Jeremiah se enfureceu. Ele olhou para mim e então de novo para Conrad, antes de dizer:

— Você só está com inveja, admita.

— Inveja?

— Você está com inveja que o papai e eu temos um relacionamento de verdade agora. Não tem mais a ver apenas com você, e isso deixa você louco.

Conrad riu. Sua risada soava terrivelmente amargurada.

— Que bobagem. — Ele se virou para mim: — Belly, você está ouvindo isso? Jeremiah acha que eu estou com inveja.

Jeremiah olhou para mim, querendo dizer *Fique do meu lado*, e nessa hora eu soube que, se fizesse isso, ele me perdoaria por não ter lhe contado a respeito da casa. Detestei Conrad por ter me colocado no meio daquilo, por me fazer escolher. Eu não sabia do lado de quem eu estava. Os dois estavam certos e os dois estavam errados.

Acho que levei muito tempo para responder, porque Jeremiah parou de olhar para mim e continuou a discussão:

— Você é um cretino, Conrad. Você só quer que todo mundo seja tão infeliz quanto você.

E saiu de casa, batendo a porta da frente.

Tive a sensação de que precisava ir atrás dele. Tive a sensação de que havia acabado de deixá-lo na mão quando meu amigo mais precisava de mim.

Então Conrad me perguntou:

— Eu sou um cretino, Belly?

Ele abriu mais uma cerveja, tentando parecer muito indiferente, mas sua mão estava tremendo.

— É. Você é mesmo um cretino.

Fui até a janela e vi Jeremiah entrando no carro. Já era tarde para ir atrás dele; Jere já estava saindo. Embora estivesse furioso, tinha colocado o cinto de segurança.

— Ele vai voltar — assegurou Conrad.

Hesitei um pouco, e então retruquei:

— Você não devia ter dito aquelas coisas.

— Talvez não.

— Você não devia ter pedido para eu guardar segredo.

Conrad deu de ombros, como se já tivesse superado tudo, mas então olhou de volta para a janela, e eu soube que estava preocupado. Ele jogou uma cerveja na minha direção, e eu a peguei. Abri a lata e tomei um longo gole. Mal senti o gosto ruim. Talvez estivesse me acostumando. Estalei os lábios.

Ele me olhou com uma expressão divertida no rosto.

— Então você gosta de cerveja agora, é?

Dei de ombros.

— É ok — respondi, me sentindo muito adulta. E então acrescentei: — Mas ainda prefiro Cherry Coke.

Ele quase sorriu quando disse:

— A mesma Belly de sempre. Aposto que, se alguém abrir seu corpo, uma montanha de açúcar refinado vai sair de dentro de você.

— Essa sou eu. Doce e coisas açucaradas são tudo de bom.

— Não sei, não.

Então ficamos em silêncio. Tomei mais um gole de cerveja e coloquei a latinha ao lado de Conrad.

— Acho que você magoou o Jeremiah de verdade.

Ele deu de ombros.

— Ele precisava de um puxão de orelha.

— Você não precisava agir daquele jeito.

— Acho que é você quem magoa o Jeremiah.

Abri a boca e fechei. Se eu perguntasse o que ele queria dizer, Con diria. E eu não queria que ele dissesse. Então continuei bebendo minha cerveja.

— E agora?

Conrad não me liberou tão fácil assim.

— E agora com você e Jeremiah ou com você e comigo? — perguntou.

Ele estava me provocando, e eu fiquei com raiva por isso. Pude sentir o rosto queimando ao responder:

— E agora com esta casa.

Ele se recostou no balcão.

— Não há nada a fazer, na realidade. Quero dizer, eu poderia arranjar um advogado. Tenho dezoito anos. Poderia tentar ganhar tempo. Mas duvido que adiantaria alguma coisa. Meu pai é teimoso. E é ganancioso.

Então retruquei, meio hesitante:

— Não sei se ele está fazendo isso por ganância, Conrad.

Ele fechou a cara.

— Acredite em mim. Ele está, sim.
Não consegui deixar de perguntar:
— E o curso de verão?
— Eu não podia estar menos preocupado com o curso.
— Mas...
— Deixa isso pra lá, Belly.
Ele saiu da cozinha, abrindo a porta deslizante.
Fim da conversa.

26

Jeremiah

ADMIREI CONRAD MINHA VIDA INTEIRA. ELE SEMPRE FOI O MAIS INteligente, o mais veloz... simplesmente o melhor. Acontece que eu nunca realmente o invejei por isso. Ele era apenas Conrad, não podia evitar ser bom fazendo as coisas. Não podia evitar o fato de que jamais perdia nos jogos de Uno ou nas corridas, nem se dava mal nas provas. Talvez parte de mim precisasse disso, de alguém a quem admirar. Meu irmão mais velho, o cara que não podia perder.

Mas teve uma vez, quando eu tinha treze anos, em que estávamos praticando luta livre na sala de estar. Meu pai estava sempre tentando fazer a gente praticar o esporte. Ele tinha integrado a equipe de luta livre na faculdade e gostava de nos ensinar novas técnicas. Já fazia meia hora que estávamos lutando, e minha mãe estava na cozinha, preparando escalopes com bacon, porque receberíamos visitas naquela noite, e esse era o prato preferido do meu pai.

— Prenda-o, Con — dizia meu pai.

Nós dois estávamos totalmente concentrados na luta. Já tínhamos derrubado um dos castiçais de prata da minha mãe. Conrad arfava. Ele achou que ia me vencer com facilidade, mas eu estava ficando bom. Não ia desistir. Ele prendeu minha cabeça embaixo do braço, e prendi o joelho dele, e nós dois caímos no chão. Senti alguma coisa mudar. Eu estava quase ganhando. Eu ia vencer. Meu pai ia ficar muito orgulhoso.

Quando Con estava imobilizado, meu pai disse:

— Conrad, eu falei pra você manter os joelhos dobrados.

Olhei para meu pai e reparei em seu rosto. Estava com aquela expressão que fazia às vezes, estreitando os olhos, irritado, quando

Conrad não estava fazendo alguma coisa direto. Ele nunca olhava para mim daquele jeito.

Meu pai não disse "Bom trabalho, Jere". Só começou a criticar Conrad, enumerando todas as coisas que ele poderia ter feito melhor. E meu irmão ouviu. Ele estava assentindo, o rosto vermelho, o suor escorrendo pela testa. Então, meu irmão olhou para mim e disse, muito sincero:

— Bom trabalho, Jere.

Foi quando meu pai também falou:

— É, bom trabalho, Jere.

De repente, tive vontade de chorar. Eu não queria vencer Conrad nunca mais. Não valia a pena.

Depois do que aconteceu em nossa casa, entrei no carro e comecei a dirigir. Eu não sabia para onde estava indo, e parte de mim nem queria voltar. Parte de mim só queria deixar Conrad lidando com aquela merda toda sozinho, que era justamente o que ele queria desde o início. Belly que lidasse com ele. Os dois que se virassem. Dirigi por meia hora.

Mas, mesmo enquanto dirigia, eu sabia que acabaria voltando. Não podia simplesmente dar o fora. Era o tipo de coisa que Con fazia, não eu. E *foi* um golpe baixo eu ter dito que ele não estava lá para dar apoio à mamãe. Não era como se ele soubesse que ela ia morrer. Ele estava na faculdade. Não foi culpa dele. Mas não era ele quem estava lá quando as coisas pioraram de novo. Tudo aconteceu muito rápido, ele não tinha como saber. Se soubesse, teria ficado em casa. Eu sei que teria.

Nosso pai jamais ganharia o prêmio de pai do ano. Ele com certeza era cheio de defeitos. Mas, lá no fim, quando era pra valer, ele voltou para casa. E disse todas as coisas certas. Fez nossa mãe feliz. Conrad simplesmente não conseguia ver isso. Ele não queria ver isso.

Não voltei para casa imediatamente.

Primeiro, parei na pizzaria. Era hora do jantar, e não havia nada para comer na casa de praia. Um garoto que eu conhecia, Mikey, estava trabalhando no caixa. Pedi uma pizza grande com todas as opções de sabor, e então perguntei se Ron estava fazendo entregas. Mikey disse que sim, que Ron estaria de volta logo, que eu devia esperar.

Ron morava em Cousins. Ele estudava na faculdade local durante o dia e entregava pizzas à noite. Era um cara legal. Comprava cerveja para menores de idade desde que eu podia me lembrar. Bastava dar 20 dólares a Ron que ele dava um jeito.

Tudo que eu sabia era que, se aquela seria a nossa última noite, não poderia terminar assim.

Quando voltei para casa, Conrad estava sentado na varanda. Eu sabia que ele esperava por mim. Sabia que estava se sentindo mal pelo que tinha dito. Buzinei, coloquei a cabeça para fora da janela e gritei:

— Venha me ajudar com as coisas.

Ele veio até o carro, viu as caixas de cerveja e a sacola de bebidas e perguntou:

— Ron?

— Isso.

Peguei duas caixas de cerveja e entreguei a ele.

— Vamos dar uma festa.

27

Após a briga, depois que o Sr. Fisher saiu, subi para o meu quarto e fiquei lá sozinha. Não queria estar por perto quando Jeremiah voltasse, caso ele e Conrad recomeçassem a discussão. Ao contrário de Steven e eu, aqueles dois quase nunca brigavam. Todo esse tempo que os conhecia, eu só os vi brigando umas três vezes. Jeremiah admirava Conrad, e Conrad cuidava de Jeremiah. Simples assim.

Comecei a procurar nas gavetas da cômoda e no armário para ver se encontrava alguma coisa minha ali. Minha mãe era muito rígida e nos mandava tirar todos os nossos pertences sempre que íamos embora, mas nunca se sabe. Pensei que não custava nada me certificar. O Sr. Fisher provavelmente diria para a empresa de mudança jogar tudo fora.

No fundo da gaveta da cômoda, encontrei um velho caderno de redação dos meus dias de *A pequena espiã*. Estava todo colorido com canetas marca-texto rosa, verde e amarela. Eu tinha acompanhado os meninos de um lado para o outro durante dias, fazendo anotações até deixar Steven furioso, e ele me dedurou para a mamãe.

Comecei a ler:

> 28 de junho. Peguei Jeremiah dançando na frente do espelho quando ele achava que não tinha ninguém vendo. Mas eu estava lá!
>
> 30 de junho. Conrad tomou todos os picolés azuis de novo, mesmo sabendo que não podia. Mas não dedurei.
>
> 1º de julho. Steven me chutou sem nenhum motivo.

E assim por diante. Lá para meados de julho eu fiquei de saco cheio e desisti. Eu estava sempre atrás deles, na época. Tinha oito anos e teria adorado ter sido incluída nesta última aventura, adorado o fato de que poderia estar com os meninos enquanto Steven precisava ficar em casa.

Encontrei mais algumas coisas. Porcarias como um potinho de gloss labial de cereja pela metade, dois elásticos de cabelo empoeirados, meus livros da Judy Blume na prateleira e os de V.C. Andrews escondidos atrás. Pensei em simplesmente deixar tudo aquilo por lá.

A única coisa que eu precisava levar era Junior Mint, meu velho urso-polar de pelúcia, que Conrad ganhara para mim um milhão de anos atrás. Eu não podia deixar que o jogassem fora como se fosse lixo. Tinha sido especial para mim.

Fiquei lá em cima por um tempo, olhando minhas velharias. Encontrei mais uma coisa que valia a pena guardar: um telescópio de brinquedo. Ainda me lembro do dia em que meu pai o comprou para mim em uma daquelas lojinhas de antiguidades ao longo do calçadão. Custou caro, mas lembro que ele disse que eu precisava tê-lo. Houve um tempo em que eu era obcecada por estrelas, cometas e constelações, e ele achou que talvez eu virasse astrônoma quando crescesse. Acabou que foi só uma fase, mas foi divertida enquanto durou. Eu gostava da maneira como meu pai olhava para mim naquela época, como se eu tivesse puxado a ele.

Ele ainda olhava para mim desse jeito, às vezes — quando eu pedia molho Tabasco nos restaurantes, quando sintonizava na rádio NPR sem ele precisar pedir. De Tabasco eu gostava, mas da NPR, nem tanto. Fazia aquilo porque sabia que o deixaria orgulhoso.

Eu ficava feliz por ele ser meu pai, e não o Sr. Fisher. Ele jamais teria gritado comigo ou me xingado, nem ficado bravo por eu derramar Ki-Suco. Ele não era esse tipo de pessoa. Eu nunca dei valor para o tipo de homem que meu pai era.

28

Meu pai quase nunca ia à casa de praia. Só um fim de semana em agosto, talvez, mas não mais que isso. Nunca me ocorreu por quê. Havia um fim de semana em que ele e o Sr. Fisher vinham ao mesmo tempo. Como se os dois tivessem muitas coisas em comum, como se fossem amigos ou coisa parecida. Porém, eles não poderiam ser mais diferentes. O Sr. Fisher gostava de falar, falar, falar, e meu pai só falava se tinha algo a dizer. O Sr. Fisher estava sempre vendo Sports-Center, enquanto era difícil meu pai assistir a qualquer coisa na TV — e, quando assistia, definitivamente não eram esportes.

Nossos pais e mães iam a um restaurante chique em Dyerstown. Uma banda tocava lá nos sábados à noite, e havia uma pequena pista de dança. Era estranho pensar nos meus pais dançando. Eu nunca os havia visto dançar antes, mas tinha certeza de que Susannah e o Sr. Fisher dançavam o tempo todo. Eu os vi dançar uma vez, na sala. E me lembro de como Conrad ficou vermelho e virou de costas.

Eu estava deitada de barriga para baixo, na cama de Susannah, vendo minha mãe e ela se arrumando no banheiro da suíte.

Susannah a convencera a usar um vestido dela: vermelho, com um decote em V profundo.

— O que você acha, Beck? — perguntou minha mãe, insegura.

Eu sabia que ela estava se sentindo esquisita, porque costumava usar calças.

— Acho que você está incrível e deve usar o vestido. Vermelho combina muito com você, Laurel.

Susannah estava curvando os cílios e arregalando os olhos diante do espelho.

Quando as duas saíam, eu ficava treinando como usar o curvex. Minha mãe não tinha um. Eu sabia tudo que havia na bolsa de maquiagem dela, um daqueles nécessaires de plástico verde da Clinique que se ganha de brinde. Tinha um protetor labial da Burt's Bees, um delineador para olhos, um tubo rosa e verde de rímel Maybelline e um frasco de protetor solar com base. Só coisa sem graça.

O estojo de maquiagem de Susannah, por outro lado, era um verdadeiro tesouro. Era um estojo de couro de cobra azul-marinho com um fecho dourado pesado com as iniciais dela gravadas. Dentro, havia potinhos, paletas e pincéis e amostras de perfume. Ela nunca jogava nada fora. Eu gostava de organizar tudo em fileiras perfeitas, de acordo com as cores. Às vezes, ela me dava um batom ou uma amostra de sombra, nada muito escuro.

— Belly, quer que eu maquie seus olhos? — perguntou Susannah.

— Sim! — respondi, me sentando na cama.

— Beck, por favor, não a deixe com olhos de prostituta de novo — pediu minha mãe, passando um pente no cabelo molhado.

Susannah fez careta.

— Chama-se olho esfumado, Lau.

— É, mamãe, é olho esfumado — falei, com a voz aguda.

Susannah me chamou para perto, dobrando o indicador.

— Vem cá, Belly.

Corri até o banheiro e me sentei no balcão. Eu adorava sentar naquele balcão com as pernas penduradas, ouvindo tudo que as garotas falavam e me sentindo uma delas.

Susannah mergulhou um pincelzinho dentro de um pote de delineador preto.

— Feche os olhos — pediu.

Obedeci, e ela deslizou o pincel bem juntinho dos meus cílios, misturando e borrando com toda a sua experiência, usando a ponta do polegar. Então passou sombra nas minhas pálpebras, e eu me remexi, empolgada. Adorava quando Susannah me maquiava, mal podia esperar pelo momento de ver o resultado.

— Você e o Sr. Fisher vão dançar hoje à noite? — perguntei.

Susannah riu.

— Não sei. Talvez.

— Mamãe, você e o papai vão dançar?

Minha mãe também riu.

— Não sei. Provavelmente não. Seu pai não gosta de dançar.

— O papai é chato — falei, tentando me virar e espiar meu novo visual.

Gentilmente, Susannah colocou as mãos nos meus ombros e me endireitou.

— Ele não é chato — retrucou minha mãe. — Ele só tem interesses diferentes. Você gosta quando ele ensina as constelações a você, não gosta?

Dei de ombros.

— Gosto.

— Além disso, ele é muito paciente e sempre escuta suas histórias — lembrou ela.

— É verdade. Mas o que isso tem a ver com ser chato?

— Não muita coisa, eu acho. Mas tem a ver com ser um bom pai, que eu acho que ele é.

— Ele é mesmo — concordou Susannah, e ela e minha mãe se entreolharam por cima da minha cabeça. — Dê uma olhada em como você está.

Eu me virei e olhei no espelho. Meus olhos estavam muito esfumados, cinza e misteriosos. Tive a sensação de que era eu quem deveria sair para dançar.

— Está vendo, ela não está parecendo uma prostituta — comentou Susannah, triunfal.

— Ela parece estar com o olho roxo — retrucou minha mãe.

— Não pareço, não. Eu pareço misteriosa. Estou parecendo uma condessa.

Saltei do balcão do banheiro.

— Obrigada, Susannah.

— Sempre que quiser, docinho.

Demos beijinhos na bochecha uma da outra, sem encostar, como duas mulheres da sociedade se encontrando em um almoço. Ela me pegou pela mão e me levou até sua cômoda. Então me entregou seu porta-joias e disse:

— Belly, você tem um ótimo gosto. Pode me ajudar a escolher as joias para eu usar esta noite?

Eu me sentei na cama dela com a caixa de madeira e a examinei com cuidado. Encontrei o que estava procurando: os brincos pendentes de opala e o anel de opala do mesmo conjunto.

— Use esses aqui — sugeri, mostrando as joias para ela na palma da mão.

Susannah aceitou minha sugestão, mas, enquanto prendia os brincos, minha mãe comentou:

— Não sei se eles combinam muito.

Olhando para o passado agora, acho que não combinavam mesmo. Mas eu gostava tanto daquelas joias de opala. Eu as admirava mais do que qualquer outra coisa.

Então eu disse:

— Mamãe, o que você sabe de estilo?

Na mesma hora, achei que ela fosse ficar brava comigo, mas aquilo havia escapado, e era verdade, afinal. Minha mãe entendia tanto de joias quanto de maquiagem.

Mas Susannah riu, e minha mãe também.

— Vá lá pra baixo e avise aos dois que estaremos prontas em cinco minutos, condessa — ordenou minha mãe.

Saltei da cama e fiz uma reverência dramática.

— Sim, mamãe.

As duas deram risada.

— Vai logo, sua sapeca — emendou minha mãe.

Desci a escada correndo. Quando era criança, corria sempre que precisava ir a algum lugar.

— Elas estão quase prontas — berrei.

O Sr. Fisher estava mostrando sua nova vara de pescar ao meu pai, que pareceu aliviado em me ver.

— Belly, o que foi que fizeram com você?

— Susannah me maquiou. Gostou?

Meu pai me puxou para mais perto dele, me olhando bem sério.

— Não sei direito. Você parece muito mais velha.

— É mesmo?

— Sim. Muito, muito madura.

Tentei disfarçar minha alegria ao abrir um lugarzinho para mim na dobra do braço do meu pai, a cabeça bem ao lado da dele. Para mim, não havia elogio melhor do que ser chamada de madura.

Todos saíram um pouco depois, os homens vestindo calças cáqui e camisas de botão, as mulheres com seus vestidos de verão. O Sr. Fisher e meu pai não pareciam tão diferentes quando se arrumavam daquele jeito. Meu pai se despediu de mim com um abraço e disse que, se eu ainda estivesse acordada quando eles voltassem, passaríamos um tempo sentados no deque tentando ver estrelas cadentes. Minha mãe disse que eles provavelmente voltariam tarde demais, mas meu pai deu uma piscadela.

Na saída, ele sussurrou alguma coisa para minha mãe que a fez cobrir a boca e dar uma risadinha baixa e rouca. Fiquei imaginando o que ele teria dito.

Foi uma das últimas vezes que me lembro deles felizes. Eu realmente gostaria de ter aproveitado mais.

Meus pais sempre foram estáveis, tão chatos quanto um pai e uma mãe podem ser. Eles nunca brigavam. Os pais da Taylor brigavam o tempo todo. Já teve vezes em que fui dormir na casa dela, e o Sr. Jewel chegou tarde, e a mãe dela ficou muito furiosa, estalando forte os chinelos no chão e batendo as panelas. Às vezes estávamos à mesa do jantar, e eu ia afundando na minha cadeira, mas Taylor simplesmente continuava conversando sobre bobagens. Se Veronika Gerard tinha ou não usado as mesmas meias dois dias seguidos para fazer ginástica ou se nós deveríamos nos oferecer para levar água para o time de futebol quando estivéssemos no primeiro ano.

Quando os pais dela se divorciaram, perguntei a Taylor se, de alguma maneira, ela se sentia aliviada. Ela respondeu que não. Disse que, embora os dois brigassem o tempo todo, pelo menos eles ainda eram uma família.

— Seus pais nem sequer brigavam — disse ela, e pude perceber o desprezo em sua voz.

Eu sabia o que ela queria dizer. Eu também pensava muito nisso. Como era possível duas pessoas que um dia haviam sido apaixonadas uma pela outra nem sequer brigarem? Eles não se importavam o bastante para brigar — não apenas para brigar um com o outro, mas também para lutar pelo casamento? Eles realmente algum dia foram apaixonados? Minha mãe algum dia sentiu pelo meu pai o que eu sentia por Conrad — se sentia viva, maluca, inebriada de carinho? Essas eram as perguntas que me assombravam.

Eu não queria cometer os mesmos erros dos meus pais. Não queria que meu amor desbotasse um dia como uma cicatriz antiga. Desejava que ele ardesse para sempre.

29

Quando eu finalmente desci, já estava escuro, e Jeremiah tinha voltado. Ele e Conrad estavam assistindo à TV no sofá, como se a briga jamais tivesse acontecido. Acho que era assim com garotos. Toda vez que Taylor e eu brigávamos, ficávamos bravas por pelo menos uma semana, e era sempre uma batalha para ver quem ficava com quais amigos.

— Você está do lado de quem? — cobrávamos de Katie ou Marcy.

Dizíamos coisas maldosas uma para a outra que não se pode desdizer, e depois chorávamos e fazíamos as pazes. Mas eu duvidava de que Conrad e Jeremiah estivessem chorando e fazendo as pazes antes de eu descer.

Eu me perguntei se também tinha sido perdoada por ter guardado um segredo de Jeremiah, por não ter escolhido um lado — o lado dele. Porque a verdade era que havíamos chegado ali como parceiros, uma equipe, mas, quando ele precisou de mim, eu o deixei na mão. Por um instante fiquei lá parada ao lado da escada, sem saber se devia ou não me aproximar. Então Jeremiah olhou para mim, e eu soube que estava perdoada. Ele sorriu, um sorriso de verdade, do tipo capaz de derreter sorvete. Retribuí o sorriso, mais grata do que nunca.

— Já ia subir pra chamar você — disse ele. — Vamos dar uma festa.

Vi uma caixa de pizza na mesa de centro.

— Uma festa de pizza? — perguntei.

Susannah sempre fazia festas de pizza quando éramos crianças. Nunca era só "vamos comer pizza no jantar". Era uma festa de pizza. Só que, desta vez, com cerveja. E tequila. Então assim seria nossa última noite. Se Steven também estivesse ali, pareceria muito mais real. Teria sido completo, nós quatro juntos de novo.

— Encontrei algumas pessoas na cidade que vêm pra cá mais tarde e vão trazer um barril.

— Um barril? — repeti.

— É. Um barril, sabe, de cerveja?

— Ah, sim. Um barril.

Então me sentei no chão e abri a caixa de pizza. Tinha sobrado só uma fatia pequena.

— Vocês são uns canalhas — falei, enfiando o pedaço de pizza na boca.

— Oooopa, desculpe — disse Jeremiah.

Então ele foi até a cozinha e, quando voltou, tinha três copos nas mãos, um deles equilibrado na dobra do braço. Deu aquele para mim.

— Saúde — brindou Jere

Deu um copo a Conrad também.

Desconfiada, cheirei a bebida. Era marrom-clara e havia uma fatia de limão boiando em cima.

— O cheiro é forte — comentei.

— É porque é *tequila* — cantarolou ele.

Ergueu o copo no ar.

— À última noite.

— À última noite — repetimos.

Os dois viraram tudo de uma só vez. Eu tomei só um golinho, e não estava tão ruim. Nunca havia tomado tequila antes. Bebi o resto depressa.

— É bem gostoso — falei. — E nem é tão forte.

Jeremiah caiu na risada.

— É porque a sua dose contém 95% de água.

Conrad também riu, e olhei furiosa para os dois.

— Isso não é justo — protestei. — Quero beber o que vocês estão bebendo.

— Desculpe, mas não servimos bebidas a menores aqui — retrucou Jeremiah, caindo ao meu lado no chão.

Dei um soco no ombro dele.

— Você também é menor de idade, seu bobo. Todos somos.

— Está certo, Belly, mas você é mesmo menor de idade. Minha mãe me mataria.

Foi a primeira vez que qualquer um de nós mencionou Susannah. Meus olhos dispararam para Conrad, mas o rosto dele estava impassível. Soltei a respiração. E então tive uma ideia, a melhor ideia que já tinha me ocorrido. Dei um pulo e abri as portas do rack da TV. Passei os dedos pelas gavetas com os DVDs e vídeos caseiros, todos cuidadosamente rotulados com a letra cursiva inclinada de Susannah. Por fim, encontrei o que estava procurando.

— O que você está fazendo? — quis saber Jeremiah.

— Espere um pouco — respondi, de costas para eles.

Liguei a TV e coloquei o vídeo.

Na tela, apareceu Conrad, aos doze anos de idade. Usando aparelho e com a pele cheia de espinhas. Estava deitado em uma esteira de praia, fazendo careta. Naquele verão, Con não deixou ninguém tirar foto dele.

Como sempre, o Sr. Fisher estava atrás da câmera dizendo:

— Qual é, diga "Feliz Quatro de Julho", Con.

Jeremiah e eu nos entreolhamos e explodimos em uma gargalhada. Conrad nos olhou furioso. Fez um gesto para tentar pegar o controle remoto, mas Jeremiah chegou antes e o segurou acima da cabeça, perdendo o ar de tanto rir. Os dois começaram a lutar, e então pararam.

A câmera focava Susannah, usando seu grande chapéu de praia e uma camisa branca comprida sobre a roupa de banho.

— Suze, querida, como você está se sentindo hoje, no aniversário da nossa nação?

Ela revirou os olhos.

— Dá um tempo, Adam. Vai filmar as crianças.

E então, por debaixo do chapéu, ela sorriu — aquele sorriso lento, intenso. Era o sorriso de uma mulher que amava verdadeiramente a pessoa segurando a câmera.

Conrad parou de brigar pelo controle remoto e assistiu às imagens por um momento, então disse:

— Desligue isso.

— Qual é, cara. Vamos só ver — disse Jeremiah.

Conrad não falou nada, mas também não parou de assistir.

E então a câmera focou em mim, e Jeremiah começou a rir de novo. Conrad também. Era o que eu estava esperando. Sabia que ia conseguir risadas.

Eu, de óculos enormes e usando um biquíni listrado com as cores do arco-íris, a barriga redonda saltando sobre a parte de baixo — uma típica criança de quatro anos. Eu berrava a plenos pulmões, fugindo de Steven e Jeremiah. Eles estavam atrás de mim segurando o que diziam ser uma água-viva, mas depois vim a descobrir que era só um punhado de algas.

O cabelo de Jeremiah estava loiro quase branco à luz do sol, e ele era exatamente como eu me lembrava.

— Bells, você parece uma bola de praia — comentou, engasgando de tanto rir.

Eu ri também, um pouco.

— Assistam! Esse verão foi muito incrível. Todos os nossos verões aqui foram muito... incríveis.

Incrível nem era a melhor palavra para descrevê-los.

Em silêncio, Conrad se levantou e voltou com a tequila. Serviu um pouco para cada um e, desta vez, a minha não foi diluída na água.

Todos tomamos um shot juntos e, quando engoli o meu, senti a bebida descer queimando a ponto de lágrimas escorrerem pelo meu rosto. Conrad e Jeremiah caíram na gargalhada de novo.

— Chupe o limão — aconselhou Conrad, e obedeci.

Não demorou nada para eu me sentir quente, meio mole e ótima. Deitei no chão com o cabelo espalhado ao redor da cabeça, olhei fixamente para o teto e fiquei vendo o ventilador girar.

Quando Conrad levantou e foi ao banheiro, Jeremiah virou-se de lado.

— Ei, Belly. Verdade ou consequência?
— Não seja bobo — falei.
— Ah, qual é. Brinque comigo. Por favor!

Revirei os olhos e me sentei.

— Consequência.

Os olhos dele estavam com aquele brilho safado que eu não via desde que Susannah tinha ficado doente de novo.

— Eu desafio você a me beijar, à moda antiga. Aprendi muito desde nossa última vez.

Dei risada. O que quer que eu estivesse esperando que ele dissesse, não era isso.

Jeremiah ergueu o rosto para mim e riu de novo. Eu me inclinei para a frente, puxei o queixo dele na minha direção e lhe dei um beijo na bochecha com um estalo alto.

— Ah, cara! — protestou. — Isso não foi um beijo pra valer.

— Você não disse um tipo de beijo específico — retruquei, sentindo o rosto ficar quente.

— Qual é, Bells. Não foi assim que a gente se beijou daquela outra vez.

Conrad voltou para a sala, secando as mãos na calça.

— Do que você está falando, Jere? Você não tem namorada? — perguntou.

Olhei para Jeremiah, que estava vermelho.

— Você tem namorada?

Ouvi o tom de acusação na minha voz e detestei. Não era como se Jeremiah me devesse uma explicação. Como se ele fosse meu. Mas ele sempre me deixou sentir como se pertencesse a mim.

Todo esse tempo juntos, e ele não mencionou sequer uma vez que tinha namorada. Eu não podia acreditar. Acho que não era a única guardando segredos, e pensar nisso me deixou triste.

— Nós terminamos. Ela vai para a faculdade em Tulane, e eu vou ficar por aqui. Decidimos que não faz sentido continuar juntos.

Furioso, ele encarou Conrad, então olhou de novo para mim.

— E a gente estava sempre brigando e voltando. Ela é maluca.

Detestei pensar nele com uma garota maluca, uma garota de quem ele gostava o bastante para terminar o namoro e voltar várias vezes.

— Bom, e qual é o nome dela?

Ele hesitou.

— Mara.

O álcool que corria em minhas veias foi suficiente para me dar coragem de perguntar:

— Você a ama?

Desta vez, ele não hesitou:

— Não.

Peguei um pedaço da borda da pizza.

— Tudo bem, minha vez. Conrad, verdade ou consequência?

Ele estava deitado com o rosto encostando no sofá.

— Eu nunca disse que estava brincando.

— Frangote — Jeremiah e eu dissemos juntos.

— Macaco de imitação! — dissemos ao mesmo tempo.

— Vocês parecem ter dois anos de idade — resmungou Conrad.

Jeremiah se levantou e começou a imitar uma galinha ciscando.

— Có có có có.

— Verdade ou consequência? — insisti.

Conrad rosnou:

— Verdade.

Fiquei tão contente que Conrad topou brincar conosco que não consegui pensar em nada bom para perguntar. Quero dizer, tinha um milhão de coisas que eu queria perguntar a ele. Queria perguntar o que havia acontecido conosco, se algum dia ele tinha gostado de mim, se alguma coisa havia sido verdadeira. Mas eu não podia fazer essas perguntas. Mesmo não estando tão sóbria por causa da tequila, eu sabia disso.

Em vez disso, perguntei:

— Lembra-se daquele verão que você gostou da garota que trabalhava no calçadão? A Angie?

— Não — disse ele, mas eu sabia que era mentira. — O que tem ela?

— Você chegou a ficar com ela?

Conrad finalmente levantou a cabeça do sofá.

— Não — respondeu.

— Eu não acredito em você.

— Eu tentei, uma vez. Mas ela me deu um soco na cabeça e disse que não era aquele tipo de garota. Acho que era testemunha de Jeová ou coisa parecida.

Jeremiah e eu caímos na gargalhada. Ele estava rindo tanto que se curvou todo e caiu de joelhos.

— Cara, que incrível — disse Conrad, arfando.

E era mesmo. Sabia que ele estava assim só porque tinha bebido quase uma caixa de cerveja, mas Conrad estava se soltando, nos contando coisas. A sensação era incrível. Parecia um milagre.

Ele se apoiou em um dos cotovelos.

— Muito bem. Minha vez.

Conrad estava olhando para mim como se fôssemos as únicas duas pessoas na sala e, de repente, fiquei apavorada. E exultante. Mas então olhei para Jeremiah, nos encarando e, também de repente, não senti mais nem uma coisa, nem outra.

Solenemente, falei:

— Não, não. Você não pode me fazer pergunta, porque eu acabei de perguntar pra você. É a regra.

— A regra? — repetiu ele.

— É — confirmei, encostando a cabeça no sofá.

— Você não está nem curiosa sobre o que eu ia perguntar?

— Não. Nem um pouquinho.

O que era uma baita mentira. É claro que eu estava curiosa. Estava morrendo de vontade de saber.

Estendi o braço, me servi mais tequila e então me levantei, os joelhos bambos. Estava zonza.

— À nossa última noite!

— Nós já brindamos a isso, lembra? — disse Jeremiah.

Mostrei a língua para ele.

— Está certo, então.

A tequila me trouxe coragem de novo. Desta vez, deixou que eu dissesse o que eu realmente queria dizer. O que estava passando na minha cabeça a noite toda.

— A... a todo mundo que não está aqui esta noite. À minha mãe, ao Steven e à Susannah, acima de tudo. Está bem?

Conrad olhou para mim. Por um instante, fiquei com medo do que ele ia dizer. E então ele levantou o próprio copo, e Jeremiah também. Todos viramos os copos juntos, e eu senti a bebida descer queimando como fogo líquido. Tossi um pouco.

Quando voltei a me sentar, perguntei a Jeremiah:

— E então, quem vem à festa?

Ele deu de ombros.

— Um pessoal da piscina do clube do ano passado. Também estão falando com outras pessoas da festa. Ah, e o Mikey, o Pete e aquele pessoal.

Me perguntei quem seriam "o Mikey, o Pete e aquele pessoal". Também me perguntei se devia me arrumar antes de as pessoas chegarem.

— A que horas eles vêm? — perguntei a Jeremiah.

Ele deu de ombros.

— Às dez? Onze?

Dei um salto.

— Já são quase nove! Eu preciso me vestir.

— Você já não está vestida? — perguntou Conrad.

Nem me dei ao trabalho de responder. Simplesmente disparei escada acima.

30

Quando Taylor me ligou, tudo que havia na minha mochila estava espalhado no chão. E foi quando me lembrei de que era sábado. Parecia que eu estava longe fazia muito mais tempo. Então me dei conta de que era 4 de julho. E de que eu deveria estar em um barco com Taylor, Davis e todo mundo. *Opa.*

— Oi, Taylor — falei.

— Oi, onde você está?

Taylor não parecia brava, o que era meio maluco.

— Ahn, ainda em Cousins. Desculpa não ter conseguido voltar a tempo para a festa no barco.

Da pilha de roupas, peguei uma blusa de um ombro só de um tecido tipo chiffon e experimentei. Sempre que Taylor a usava, prendia o cabelo de lado.

— Como está chovendo o dia todo, cancelamos a festa no barco. Em vez disso, o Cory vai dar uma festa no apartamento do irmão dele. E você?

— Acho que também vamos dar uma festa. Jeremiah comprou um monte de cerveja, tequila e outras bebidas — falei, ajeitando a blusa.

Não sabia ao certo quanto do meu ombro devia deixar à mostra.

— Uma festa? — gritou. — Eu quero ir!

Tentei enfiar o pé em uma das sandálias plataforma de Taylor. Queria não ter mencionado a festa — ou a tequila. Ultimamente, Taylor andava doida por shots de tequila.

— E a festa do Cory? — perguntei. — Fiquei sabendo que o apartamento do irmão dele tem uma banheira de hidromassagem. Você adora esse tipo de coisa.

— Ah, é. Droga. Mas eu também quero me divertir com vocês! Festas na praia são as mais divertidas. De qualquer maneira, a Rachel Spiro me contou que um bando de vadias do primeiro ano vai à festa. Acho que talvez nem valha à pena ir. AHMEUDEUS, acho que eu devo simplesmente pegar meu carro e ir pra Cousins!

— Quando você chegar aqui, todo mundo já vai ter ido embora. Provavelmente é melhor você ir à festa do Cory.

Ouvi um carro parando na frente da casa. As pessoas já estavam chegando, ou seja, não era mentira.

Eu estava prestes a dizer a Taylor que precisava desligar quando ela disse, baixinho:

— Você, tipo, não quer que eu vá?

— Eu não disse isso — respondi.

— Basicamente, disse, sim.

— Taylor... — comecei, mas não soube o que falar depois. Porque ela estava certa: eu não queria que ela fosse.

Se Taylor fosse, tudo giraria em torno dela, como sempre acontece. Aquela era minha última noite em Cousins, naquela casa. Eu nunca mais pisaria ali de novo, nunca mais. Queria passar aquela noite com Conrad e Jeremiah.

Taylor esperou que eu dissesse alguma coisa, que pelo menos negasse aquilo, mas como eu não fiz nada disso, disparou:

— Eu não acredito como você é egoísta, Belly.

— Eu?

— É, você. Você fica com sua casa de praia e seus amigos de praia só pra você e não quer dividir nada comigo. Finalmente podemos passar um verão inteiro juntas, mas você nem se importa! Tudo que você quer é ficar em Cousins, com *eles*.

Ela pareceu muito furiosa. Mas, em vez de me sentir culpada, como costumava me sentir, só fiquei irritada.

— Taylor.

— Pare de falar meu nome assim.

— Assim como?

— Como se eu fosse uma criança.
— Bom, então talvez você devesse parar de agir feito uma criança só por não ter sido convidada para algum lugar.
E me arrependi assim que disse isso.
— Vá se ferrar, Belly! Eu suporto muita coisa. Você é uma melhor amiga horrorosa, sabia?
Bufei.
— Taylor... cala a boca.
Ela arfou.
— Não ouse me mandar calar a boca! Eu não fiz nada além de te dar apoio, Belly. Ouvi toda a sua chatice sobre o Conrad e nem reclamei. Quando vocês terminaram, quem foi que deu sorvete na boca pra você e fez você sair da cama? Eu! E você nem reconhece isso. Tipo, você nem é mais divertida.
— Puxa, Taylor, desculpa por não ser mais divertida. Isso pode acontecer quando alguém que a gente ama morre — respondi, com sarcasmo.
— Não faça isso. Não coloque a culpa só nisso. Você corre atrás do Conrad desde que eu te conheço. Já está ficando ridículo. Supere isso! Ele não gosta de você. Talvez nunca tenha gostado.
Essa talvez tenha sido a coisa mais maldosa que ela já me disse. Acho que teria se desculpado se eu não tivesse respondido com:
— Pelo menos eu não dei minha virgindade pra um cara que raspa as pernas!
Ela arfou. Uma vez, Taylor me confidenciou que Davis raspava as pernas para participar da equipe de natação. Ela ficou em silêncio por um instante. E então retrucou:
— É melhor você não usar minha sandália plataforma hoje à noite.
— Tarde demais. Já estou com ela!
E desliguei.
Eu não podia acreditar. Taylor era a amiga horrorosa, não eu. Era ela a egoísta. Eu estava com tanta raiva que minha mão tremeu quan-

do passei o delineador e precisei tirar tudo e começar de novo. Usei a blusa e os sapatos de Taylor e prendi o cabelo de lado também. Fiz isso porque sabia que a deixaria furiosa.

E então, por último, coloquei o colar de Conrad por baixo da blusa e desci a escada.

31

— Bem-vindo — falei para um garoto com uma camiseta do Led Zeppelin.

— Que botas maneiras — falei para uma menina com botas de caubói.

Circulei pela sala entregando bebidas e jogando fora latas vazias. Conrad ficou me olhando de braços cruzados.

— O que você está fazendo? — perguntou.

— Estou tentando deixar todo mundo à vontade — expliquei, ajeitando a blusa de Taylor.

Susannah era uma excelente anfitriã. Tinha o talento de fazer as pessoas se sentirem bem-vindas, queridas. As palavras de Taylor ainda ecoavam no fundo da minha cabeça. Eu não era egoísta. Eu era uma boa amiga e uma boa anfitriã. Mostraria isso a ela.

Quando o Travis, do Video World, colocou os pés em cima da mesa de centro e quase derrubou um vaso, falei:

— Ei, cuidado, tire os pés dos móveis. — Em seguida, acrescentei: — Por favor.

Estava a caminho da cozinha para buscar mais bebida quando a vi. A garota do verão anterior. Nicole, aquela de quem Conrad gostava, estava lá dentro conversando com Jeremiah. Ela não usava o boné do Red Sox, mas eu reconheceria seu perfume em qualquer lugar. Era uma mistura de extrato de baunilha e rosas em decomposição.

Conrad deve tê-la visto ao mesmo tempo que eu, porque inspirou fundo e resmungou:

— *Merda*.

— Você partiu o coração dela? — perguntei, tentando parecer provocadora e despreocupada.

Devo ter conseguido, porque ele me pegou pela mão, agarrou a garrafa de tequila e disse:

— Vamos sair daqui.

Fui atrás dele como se estivesse em transe, sonâmbula. Porque aquilo era como um sonho, a mão dele na minha. Estávamos quase livres quando Jeremiah nos viu. Senti um peso no meu coração. Ele fez um sinal para irmos até ele e gritou:

— Ei, vocês dois! Venham dar um oi.

Conrad soltou minha mão, mas não a tequila.

— E aí, Nicole — cumprimentou, indo na direção da garota.

Peguei duas cervejas e o segui.

— Ah, e aí, Conrad? — cumprimentou ela, toda surpresa, como se não estivesse nos observando o tempo todo em que estivemos na cozinha.

Ela ficou nas pontas dos pés e o abraçou.

Jeremiah me encarou e ergueu as sobrancelhas em um gesto engraçado. Então disse, sorrindo para mim:

— Belly, você se lembra da Nicole, não?

— É claro.

Sorri para ela. *Seja a anfitriã perfeita*, lembrei a mim mesma. *Seja generosa*.

Ela sorriu para mim, hesitante, e entreguei a ela uma das cervejas que eu estava segurando.

— Saúde — falei, abrindo a minha.

— Saúde — repetiu Nicole.

Batemos as latinhas e bebemos. Tomei a minha rápido. Quando terminei, peguei outra e bebi mais.

De repente, como a casa pareceu silenciosa demais, liguei o aparelho de som. Aumentei o volume da música e chutei as sandálias longe. Susannah sempre dizia que se não tivesse gente dançando não era festa. Agarrei Jeremiah, joguei um dos braços ao redor do pescoço dele e comecei a dançar.

— Belly... — protestou ele.

— Só dance, Jere! — gritei.

E ele dançou. Jeremiah dançava bem. Outras pessoas também começaram a dançar, até a Nicole. Conrad não, mas eu não me importava. Mal notei.

Dancei como se fosse 1999. Como se meu coração estivesse se partindo, e era mais ou menos isso mesmo que estava acontecendo. Basicamente, joguei o cabelo para lá e para cá o tempo todo.

Estava suando muito quando disse:

— Podemos nadar na piscina? Uma última vez?

— Esqueça isso. Vamos nadar no mar — respondeu Jeremiah.

— Vamos!

Aquela me pareceu uma ótima ideia. Uma ideia perfeita.

— Não — interveio Conrad, saindo do nada.

De repente, ele estava parado ao meu lado.

— Belly está bêbada. Não é uma boa ideia ela ir nadar.

Olhei para ele e franzi a testa.

— Mas eu quero.

Ele riu.

— E daí?

— Olhe aqui, eu nado muito bem. E nem estou bêbada.

Andei em uma linha semirreta para provar.

— Sinto muito — disse ele. — Mas você está bêbada mesmo.

Conrad bobo e chato. Ficava todo sério nos piores momentos.

— Você não é legal.

Olhei para Jeremiah, que estava sentado no chão.

— Ele não é legal. E não manda na gente. Certo, pessoal?

Antes que Jeremiah ou qualquer outra pessoa pudesse me responder, saí correndo na direção das portas deslizantes, desci a escada da entrada tropeçando e disparei para a praia. Eu me sentia como um cometa, um raio no céu, como se tivesse ficado muito tempo sem usar meus músculos, então foi uma delícia esticar minhas pernas e *correr*.

A casa, toda iluminada e cheia de gente, parecia estar a quilômetros de distância. Eu sabia que ele viria atrás de mim. Não precisava me virar para saber que era ele. Mas me virei mesmo assim.

— Volte pra casa — disse Conrad.

Ele segurava a garrafa de tequila. Eu a arranquei da mão dele e tomei um gole, como havia feito um milhão de vezes antes, como se eu fosse o tipo de garota que bebe do gargalo.

Fiquei orgulhosa de mim mesma por não cuspir tudo de volta. Dei um passo na direção da água, abrindo um sorriso para ele. Eu o estava testando.

— Belly — alertou. — Estou avisando. Não vou tirar seu corpo do mar quando você se afogar.

Fiz uma careta para ele e mergulhei o dedão no mar. A água estava mais fria do que achei que estaria. De repente, nadar não pareceu mais uma ideia tão boa. Mas eu detestava desistir de algo por Conrad. Detestava perder para ele.

— Você vai me impedir?

Ele suspirou e olhou de volta para a casa.

Então continuei e tomei outro gole de tequila. Qualquer coisa para fazê-lo prestar atenção.

— Quero dizer, isso porque eu nado melhor do que você. Sou muito, muito mais rápida. Você provavelmente não conseguiria me pegar, se quisesse.

Ele estava olhando para mim de novo.

— Eu não vou atrás de você.

— Sério? Não vem mesmo?

Dei um passo grande, depois outro. A água já batia nos meus joelhos. A maré estava baixa, e eu tremia. Era uma bobagem, na verdade. Eu nem queria mais nadar. Não sabia o que estava fazendo. Do outro lado da praia, alguém soltou fogos de artifício, que soaram como um míssil. Parecia um salgueiro chorão prateado.

E quando eu estava começando a me sentir decepcionada, justamente quando me resignei com o fato de que Conrad não se importava, ele veio na minha direção. Conrad me levantou, por cima do ombro. Deixei a garrafa cair no mar.

— Me coloca no chão! — gritei, batendo nas costas dele.

— Belly, você está bêbada.
— Me coloca no chão agora!
E, por fim, ele me escutou e me soltou na areia, e eu caí de bunda.
— Ai! Isso doeu!
Não doeu tanto, mas eu estava brava. Mais que isso, eu estava envergonhada. Chutei areia nas costas dele, e o vento soprou de volta para mim.
— Idiota! — gritei, cuspindo areia.
Conrad balançou a cabeça e se virou de costas para mim. A calça jeans dele estava molhada. Ele estava indo embora. Estava realmente indo embora. Eu tinha estragado tudo outra vez.
Quando me levantei, me senti tão tonta que quase caí de novo.
— Espere — falei, e meus joelhos bambearam.
Tirei o cabelo cheio de areia do rosto e respirei fundo. Eu precisava dizer, precisava dizer a ele. Era minha última chance.
Conrad se virou para mim de novo. Uma expressão séria.
— Espere só um pouquinho, por favor. Preciso dizer uma coisa. Eu sinto muito, de verdade, pela maneira como agi naquele dia.
Eu falava alto e em um tom desesperado, e estava chorando. E eu detestava o fato de que estava chorando, mas não podia evitar. Precisava continuar falando, porque era minha última chance.
— No... no funeral, eu fui horrível com você. Fui horrível, e tenho muita vergonha do que fiz. Eu não queria que as coisas tivessem acontecido daquele jeito. Eu queria muito, muito poder ter oferecido apoio pra você lá. Foi por isso que vim aqui atrás de você.
Conrad piscou uma vez, depois outra.
— Ok, tudo bem.
Sequei o rosto e o nariz, que estava escorrendo.
— Está falando sério? Você me perdoa?
— Sim. Eu perdoo você. Agora pare de chorar, ok?
Dei um passo na direção dele, chegando cada vez mais perto, e ele não recuou. Estávamos próximos o bastante para nos beijar. Eu prendia a respiração, desejando muito que as coisas voltassem a ser como antes.

Dei mais um passo na direção de Conrad, e foi aí que ele disse:
— Vamos voltar, está bem?

Ele não esperou pela minha resposta. Simplesmente começou a caminhar, e eu fui atrás. Achei que ia vomitar.

E, assim, o momento passou. Foi um quase momento, em que quase tudo poderia ter acontecido. Mas ele fez com que acabasse.

Na casa, as pessoas estavam nadando de roupa na piscina. Algumas garotas agitavam nas mãos velas acesas que soltavam estrelinhas. Clay Bertolet, nosso vizinho, flutuava pela borda da piscina vestindo uma de suas regatas. Ele agarrou meus tornozelos.
— Venha aqui, Belly, nade comigo — disse ele.
— Me solta — falei, chutando e molhando o rosto de Clay.

Abri caminho em meio às pessoas que estavam no deque e voltei para dentro de casa. Sem querer, pisei no pé de uma menina, e ela gritou.
— Desculpa — falei, e minha voz parecia estar muito longe.

Eu estava muito tonta. Só queria minha cama.

Subi a escada engatinhando, me arrastando feito um caranguejo, como fazia quando era pequena. Me joguei na cama, e foi exatamente como dizem nos filmes: o quarto estava girando. A cama estava girando. E então me lembrei de todas as coisas estúpidas que eu tinha dito e comecei a chorar.

Fiz papel de idiota naquela praia. Era tudo devastador — Susannah morta, pensar naquela casa não pertencendo mais a nós, eu dando a Conrad a chance de me rejeitar mais uma vez. Taylor tinha razão: eu era masoquista.

Deitei de lado, abracei os joelhos junto ao peito e chorei. Tudo estava errado, principalmente eu. De repente, eu só queria minha mãe.

Estendi o braço para pegar o telefone na mesa de cabeceira. Os números se iluminaram no escuro. Minha mãe atendeu no quarto toque.

Sua voz sonolenta e familiar me fez chorar ainda mais. Mais que qualquer outra coisa, eu queria enfiar a mão dentro do telefone e trazê-la para perto de mim.

— Mamãe.

Minha voz saiu como um grasnado.

— Belly? Qual é o problema? Onde você está?

— Estou na casa da Susannah. Na casa de praia.

— O quê? O que você está fazendo na casa de praia?

— O Sr. Fisher vai vender a casa. Ele vai vender a casa, mamãe, e o Conrad está muito triste, e o Sr. Fisher nem se importa. Só quer se livrar da casa. Ele quer se livrar dela.

— Belly, mais devagar. Não estou conseguindo ouvir o que você está dizendo.

— Só venha pra cá, está bem? Por favor, venha dar um jeito nisso.

E então desliguei, porque de repente o telefone pareceu muito pesado na minha mão. Tive a sensação de estar em um carrossel, e aquela não era uma sensação boa. Alguém soltava fogos de artifício do lado de fora, e parecia que minha cabeça estava estourando junto com eles. Então fechei os olhos, e piorou. Mas minhas pálpebras também estavam pesadas, e não demorou para eu cair no sono.

32

Jeremiah

Logo depois de Belly ir dormir, mandei todo mundo embora e ficamos apenas Conrad e eu. Ele estava deitado com o rosto encostando no sofá. Estava na mesma posição desde que ele e Belly tinham voltado da praia. Os dois estavam molhados e cheios de areia. Belly estava completamente bêbada e tinha chorado, dava para ver. Os olhos dela estavam vermelhos. Culpa de Conrad, eu não tinha dúvida.

As pessoas tinham levado areia para dentro de casa e espalhado pelo chão. Havia garrafas e latas por toda parte, e alguém tinha sentado no sofá com uma toalha molhada, e agora tínhamos uma grande marca laranja no assento. Virei a almofada ao contrário.

— A casa está um caos — comentei, me atirando na poltrona. — O papai vai pirar se vir isto assim amanhã.

Conrad não abriu os olhos.

— Azar. A gente limpa tudo de manhã.

Olhei para ele, furioso. Estava cansado de arrumar as bagunças dele.

— Vamos levar horas.

Então ele abriu os olhos.

— Foi você quem convidou todo mundo.

Ele tinha razão. Havia sido ideia minha fazer a festa. Não era por causa da bagunça que eu estava furioso. Era por causa de Belly. Dos dois juntos. Isso me deixava maluco.

— Sua calça está molhada. Você está enchendo o sofá de areia.

Conrad se levantou e esfregou os olhos.

— Qual é o seu problema?

Eu não estava mais aguentando. Comecei a me levantar, mas então me sentei de novo.

— O que aconteceu com vocês dois lá fora?
— Nada.
— O que isso quer dizer, nada?
— Nada quer dizer nada. Deixa pra lá, Jere.

Eu detestava quando ele ficava assim, todo resignado e distante, ainda mais quando eu estava bravo. Conrad sempre foi assim, mas estava ficando pior ultimamente. Quando nossa mãe morreu, ele mudou. Não dava mais a mínima para nada ou ninguém. Eu me perguntava se ele agia assim com Belly também.

Eu precisava saber. Sobre como ele realmente se sentia em relação a ela, o que ia fazer a respeito. Não saber era o que me matava.

Então perguntei diretamente:
— Você ainda gosta dela?

Ele me encarou. Eu o havia deixado completamente chocado, dava para ver. Nós nunca tínhamos falado a respeito dela antes, não assim. Provavelmente foi bom que eu o tivesse pegado de surpresa. Talvez ele dissesse a verdade.

Se ele dissesse que sim, para mim estaria acabado. Se ele dissesse que sim, eu desistiria dela. Eu podia viver com essa decisão. Se fosse qualquer outro que não Conrad, eu tentaria mesmo assim. Faria uma última tentativa.

Em vez de responder à pergunta, ele disse:
— Você gosta?

Senti que fiquei vermelho.
— Não fui eu quem a levou para a porcaria do baile.

Conrad pensou nisso e retrucou:
— Eu só a levei porque ela pediu.
— Con, você gosta dela ou não? — hesitei por uns dois segundos, e então me atirei. — Porque eu gosto. Eu gosto dela. Gosto dela de verdade. Você gosta?

Ele não piscou, nem hesitou.

— Não.

Isso me deixou muito irritado.

Ele estava mentindo. Gostava dela. Mais do que gostava. Mas ele não podia admitir, não assumia isso. Conrad jamais seria aquele cara, o tipo de cara de que Belly precisava. Alguém que pudesse apoiá-la, alguém com quem ela pudesse contar. Eu poderia ser. Se ela deixasse, eu poderia ser esse cara.

Eu estava furioso com ele, mas precisava admitir que também estava aliviado. Não importava quantas vezes Conrad a magoasse, eu sabia que, se ele a quisesse de volta, Belly seria dele. Ela sempre foi dele.

Mas, talvez, agora que Conrad não estava mais no caminho, ela me enxergasse também.

33

5 de julho

— BELLY.

Tentei virar para o outro lado da cama, mas então ouvi de novo, mais alto.

— Belly!

Alguém estava me sacudindo para que eu acordasse. Abri os olhos. Era minha mãe. Ela estava com olheiras, e sua boca, praticamente inexistente, estava franzida em uma linha fina. Usava agasalho de ficar em casa, com o qual nunca saía, nem para ir à academia. O que ela estava fazendo na casa de praia?

Ouvi um bipe. Primeiro pensei que fosse o despertador, mas então me dei conta de que tinha derrubado o telefone, e entendi que o que eu estava escutando era o sinal de ocupado. Foi aí que me lembrei. Eu havia ligado para minha mãe quando estava bêbada. Eu tinha feito com que ela se deslocasse até ali.

Eu me sentei na cama, a cabeça latejava tanto que eu tinha a impressão de que meu coração estava batendo lá dentro. Então isso era ter uma ressaca. Eu não tinha tirado as lentes antes de dormir, e meus olhos estavam ardendo. Tinha areia por toda a cama, e um pouco nos meus pés.

Minha mãe se levantou. Ela era um grande borrão.

— Você tem cinco minutos para pegar suas coisas.

— Espere aí... o quê?

— Nós vamos embora.

— Mas eu não posso ir agora. Ainda preciso...

Foi como se ela não tivesse me escutado, como se eu estivesse no mudo.

Ela começou a juntar minhas coisas do chão, atirando as sandálias e o short de Taylor na minha mochila.

— Mamãe, pare! Pare um minuto.

— Nós vamos embora em cinco minutos — repetiu ela, olhando ao redor.

— Só me escute um segundo. Eu tinha que vir. Jeremiah e Conrad precisavam de mim.

A expressão no rosto da minha mãe me fez parar imediatamente. Eu nunca a tinha visto tão brava antes.

— E você não achou que precisava me contar sobre isso? A Beck pediu que eu cuidasse dos meninos dela. Como eu posso fazer isso quando nem sei que eles precisam da minha ajuda? Se eles estavam com problemas, você devia ter me contado. Mas não, você preferiu mentir pra mim. Você *mentiu*.

— Eu não queria mentir pra você... — comecei.

Ela continuou falando.

— Você estava aqui, fazendo sabe Deus o quê...

Eu a encarei. Não acreditei que ela tinha dito aquilo.

— Como assim "sabe Deus o quê"?

Minha mãe se virou para mim, os olhos cheios de raiva.

— O que você quer que eu pense? Você já veio escondida pra cá com o Conrad uma vez e passou a noite aqui! Então me diga. O que você está fazendo aqui com ele? Porque para mim parece que você mentiu para poder vir aqui, ficar bêbada e se divertir com seu namorado.

Eu a odiava. Eu a odiava muito.

— Ele não é meu namorado! Você não sabe de nada!

A veia na testa da minha mãe latejava.

— Você me liga às quatro da manhã, bêbada. Eu ligo para o seu celular, e a ligação cai direto na caixa postal. Ligo para o telefone da casa, e só dá ocupado. Eu dirijo a noite toda, morta de preocupação, e quando chego aqui encontro a casa um verdadeiro caos. Latas de cerveja por todo lado, lixo espalhado em todos os cantos. O que você acha que está fazendo, Isabel? Ou você nem sabe?

As paredes da casa eram muito finas. Todo mundo provavelmente estava ouvindo tudo.

— Nós vamos limpar tudo. Esta era a nossa última noite aqui — expliquei. — Você não entende? O Sr. Fisher vai vender a casa. Você não se importa?

Ela balançou a cabeça, o maxilar tenso.

— Você realmente acha que ajudou, se intrometendo? Isso não é problema nosso. Quantas vezes preciso explicar pra você?

— É problema nosso, sim. Susannah ia querer que a gente salvasse esta casa!

— Não venha me falar sobre o que a Susannah ia querer — retrucou minha mãe. — Agora se vista e pegue suas coisas. Nós vamos embora.

— Não.

Puxei a coberta até os ombros.

— O quê?

— Eu disse não. Eu não vou!

Encarei minha mãe com o ar mais desafiador possível, mas senti o queixo tremendo.

Ela foi pisando forte até a cama e arrancou os lençóis de cima de mim. Agarrou meu braço, me tirou da cama e me levou para a porta, mas consegui me desvencilhar.

— Você não pode me obrigar a ir — falei, soluçando. — Você não pode mandar eu fazer nada. Você não tem esse direito.

Minhas lágrimas não comoveram minha mãe. Só a deixaram mais brava.

— Você está agindo como uma garotinha mimada. Não consegue olhar além do próprio sofrimento e pensar em outra pessoa? Nem tudo tem a ver com você. Todos nós perdemos a Beck. Sentir pena de si mesma não está ajudando em nada.

As palavras dela me machucaram tanto que eu queria magoá-la um milhão de vezes mais. Então disse o que eu sabia que mais iria feri-la.

— Eu queria que Susannah fosse minha mãe, não você.

Quantas vezes eu havia pensado e desejado isso secretamente? Quando eu era pequena, era para Susannah que eu corria, não para ela. Eu me perguntava como seria ter uma mãe como Susannah, que me amasse pelo que eu era e não ficasse decepcionada com todas as coisas que eu não fizesse bem.

Fiquei arfando enquanto esperava minha mãe reagir. Chorar, gritar comigo.

Ela não fez uma coisa nem outra.

— Que pena pra você — foi tudo que ela disse.

Mesmo quando eu me empenhava ao máximo, não conseguia obter a reação que queria da minha mãe. Ela era insondável.

— Susannah nunca vai perdoar você por isso, sabe. Por perder a casa dela. Por decepcionar os meninos.

A mão da minha mãe acertou meu rosto com tanta força que eu balancei para trás. Não pude prever que isso ia acontecer. Segurei o rosto e comecei a chorar na mesma hora. Mas parte de mim estava satisfeita. Eu finalmente conseguira o que queria. Uma prova de que ela era capaz de sentir alguma coisa.

Minha mãe estava lívida. Ela nunca tinha batido em mim antes. Nunca, jamais, em toda a minha vida.

Esperei que ela pedisse desculpas. Que dissesse que não queria me machucar, que não queria ter dito o que disse. Se ela dissesse essas coisas, eu diria também. Porque eu estava arrependida. Eu não queria ter dito o que disse.

Mas minha mãe não disse nada, por isso me afastei, as mãos no rosto. Então saí correndo do quarto, tropeçando.

Jeremiah estava parado no corredor, me olhando de boca aberta. Ele me observava como se não me reconhecesse, como se não soubesse quem era aquela pessoa, aquela menina que gritava com a mãe e dizia coisas horríveis.

— Espere — disse ele, estendendo a mão para me fazer parar.

Acabei dando um empurrão nele quando passei, e segui escada abaixo.

Na sala, Conrad recolhia garrafas de cerveja e as jogava em um saco de lixo azul. Ele não olhou para mim, mas eu sabia que também tinha escutado tudo.

Saí correndo pela porta dos fundos e quase tropecei descendo a escada que levava para a praia. Afundei no chão e me sentei na areia, com a mão no rosto ardendo. Então vomitei.

Ouvi Jeremiah chegando por trás de mim. Logo soube que era ele, porque Conrad sabia que não devia me seguir.

— Eu só quero ficar sozinha — falei, limpando a boca.

Não me virei. Não queria que ele visse meu rosto.

— Belly — começou.

Jere sentou-se ao meu lado e jogou areia bem em cima do meu vômito.

Como Jeremiah não disse mais nada, olhei para ele.

— O quê?

Ele mordiscou o lábio superior. Então estendeu a mão e tocou no meu rosto. Seus dedos estavam quentes. Ele parecia muito triste.

— É melhor você ir com sua mãe — disse.

O que quer que eu estivesse esperando ele dizer, não era aquilo. Eu tinha ido até lá e me encrencado tanto só para poder ajudar Jere e Conrad, e agora ele queria que eu fosse embora? As lágrimas se acumularam nos cantos dos meus olhos, e eu as sequei com as costas das mãos.

— Por quê?

— Porque a Laurel está muito chateada. Deu a maior confusão, e a culpa é toda minha. Eu nunca deveria ter pedido a você pra vir comigo. Sinto muito.

— Eu não vou embora.

— Logo todos vamos ter que ir.

— E é isso? Acabou?

— É, acho que sim — disse ele, dando de ombros.

Ficamos sentados na areia por um tempo. Eu nunca tinha me sentido tão perdida. Chorei um pouco mais, e Jeremiah não disse nada, e me senti agradecida por isso. Não há nada pior do que um amigo ficar nos vendo chorar depois de termos tido uma briga com a mãe. Quando parei de chorar, ele se levantou e estendeu a mão para mim.

— Vamos lá — disse ele, me puxando para eu ficar de pé.

Voltamos para dentro da casa. Conrad não estava lá, e a sala estava limpa. Minha mãe passava o esfregão no chão da cozinha. Quando me viu, ela parou. Colocou o esfregão de volta no balde e o apoiou na parede.

Na frente de Jeremiah, ela disse:

— Me desculpe.

Olhei para ele, que saiu da cozinha e subiu a escada. Eu quase o impedi. Não queria ficar sozinha com ela. Estava com medo.

Minha mãe continuou:

— Você tem razão. Eu estive ausente. Tenho andado tão consumida pela minha própria dor que não dei atenção a você. Me desculpe por isso.

— Mamãe... — comecei.

Estava prestes a pedir desculpas também, por ter dito aquela coisa horrível que eu gostaria de não ter falado. Mas ela levantou a mão e me interrompeu.

— Eu só estou... fora de mim. Desde que a Beck morreu, parece que não consigo encontrar meu equilíbrio. — Ela encostou a cabeça na parede. — Eu venho pra cá com a Beck desde que era mais nova do que você é agora. Eu amo esta casa. Você sabe disso.

— Eu sei. Eu não quis dizer aquilo, o que eu disse antes.

Minha mãe assentiu.

— Vamos nos sentar um pouco, está bem?

Ela se sentou à mesa da cozinha, e eu me sentei na frente dela.

— Eu não devia ter batido em você — disse, com a voz embargada. — Me desculpe.

— Você nunca fez isso.

— Eu sei.

Minha mãe estendeu o braço por cima da mesa e segurou minha mão muito apertado. No começo, me senti tensa, mas depois deixei que ela me reconfortasse. Porque percebi que isso a reconfortava também. Ficamos sentadas daquele jeito pelo que pareceu muito tempo.

Quando me soltou, mamãe disse:

— Você mentiu pra mim, Belly. Nunca mais faça isso.

— Eu não queria ter mentido. Mas Conrad e Jeremiah são importantes pra mim. Como eles precisavam de mim, eu vim.

— Queria que você tivesse me contado. Os meninos da Beck também são importantes pra mim. Se tem alguma coisa acontecendo, eu quero saber. Combinado?

Assenti.

Ela continuou:

— Suas coisas já estão todas arrumadas? Quero evitar o trânsito de domingo na volta.

Eu a encarei.

— Mamãe, a gente não pode simplesmente ir embora. Não com tudo que está acontecendo. Você não pode deixar o Sr. Fisher vender a casa. Não pode.

Ela suspirou.

— Não sei se tem alguma coisa que eu diga que possa fazer com que ele mude de ideia, Belly. Tem muitas coisas em que Adam e eu não concordamos. Não posso impedi-lo de vender a casa, se é o que ele está decidido a fazer.

— Você pode, sabe que pode. Ele vai ouvir o que você tem a dizer. Conrad e Jeremiah precisam desta casa. *Precisam*.

Deitei a cabeça na mesa e senti a madeira fria e lisa no meu rosto. Minha mãe tocou o topo da minha cabeça, passando a mão pelo cabelo embaraçado.

— Vou ligar pra ele — anunciou, por fim. — Agora suba e tome um banho.

Esperançosa, olhei para ela e vi a firmeza de sua boca e os olhos estreitos. Então soube que aquilo ainda não havia acabado.

Se alguém era capaz de dar um jeito nas coisas, era minha mãe.

34

Jeremiah

Houve uma vez — acho que eu tinha treze anos, e Belly, onze, quase doze. Belly tinha pegado um resfriado e ficou péssima. Ficou largada no sofá com lencinhos de papel amassados, usando o mesmo pijama velho vários dias seguidos. Como estava doente, podia escolher qualquer programa de TV que quisesse. A única coisa que podia tomar era picolé de uva e, quando fui pegar um, minha mãe disse que aquele era de Belly. Embora ela já tivesse tomado três, tive que me contentar com um de maracujá.

Era de tarde, e Conrad e Steven tinham ido de carona até o fliperama, mas não era para eu saber. As mães achavam que eles tinham ido de bicicleta até a loja de equipamentos para comprar mais minhocas de borracha. Eu ia para o mar com Clay, e estava de sunga, com uma toalha ao redor do pescoço, quando cruzei com minha mãe na cozinha.

— O que você vai fazer, Jere? — perguntou ela.

Fiz o sinal de *hang loose* com a mão e respondi:

— Vou pegar onda com o Clay. Até mais!

Eu já ia abrir a porta deslizante quando ela disse:

— Humm. Sabe de uma coisa?

— O quê? — perguntei, desconfiado.

— Talvez fosse legal se você ficasse em casa hoje pra animar a Belly. A pobrezinha está precisando.

— Ah, mamãe...

— Por favor, Jeremiah!

Suspirei. Não queria ficar em casa animando Belly. Queria pegar onda com Clay.

Eu não disse nada, e ela acrescentou:

— Podemos fazer churrasco hoje à noite. E deixo você ficar responsável pelos hambúrgueres.

Soltei mais um suspiro, mais alto desta vez. Minha mãe ainda achava que me deixar acender a churrasqueira e fazer hambúrgueres era um grande prêmio. Não que não fosse divertido. Abri a boca para dizer "não, obrigado", mas vi a expressão carinhosa e feliz no rosto dela, como se simplesmente soubesse que eu ia concordar. Então eu concordei.

— Está bem.

Subi de novo, tirei a sunga e me juntei a Belly na sala de TV, mas me sentei o mais longe possível dela. A última coisa de que eu precisava era pegar aquele resfriado e ficar uma semana de cama.

— Por que você ainda está aqui? — perguntou ela, assoando o nariz.

— Está quente demais lá fora. Quer ver um filme?

— Não está tão quente assim.

— Como você sabe, se não saiu?

Ela estreitou os olhos.

— Sua mãe obrigou você a ficar aqui comigo?

— Não.

— Rá! — Belly pegou o controle remoto e mudou de canal. — Eu sei que você está mentindo.

— Não estou!

— Telepatia, lembra?

— Isso não funciona de verdade. Me dá o controle?

Ela balançou a cabeça e segurou o controle remoto junto do peito.

— Não. Está cheio dos meus germes. Desculpe. Ainda tem pão torrado?

Pão torrado era como chamávamos o pão que minha mãe comprava na feira dos produtores. Era branco, grosso e um pouco doce e já vinha fatiado. Eu tinha comido as últimas três fatias naquela manhã. Tinha enchido de manteiga e geleia de amora e comido bem rápido antes que mais alguém acordasse. Com quatro crianças e dois adultos, o pão acabava bem depressa. Era cada um por si.

— Acabou.

— O Conrad e o Steven são uns mortos de fome — reclamou ela, fungando.

— Achei que você só quisesse tomar picolé de uva — falei, me sentindo culpado.

Ela deu de ombros.

— Hoje, quando acordei, estava com vontade de comer pão torrado. Acho que talvez eu já esteja melhorando.

Ela não me parecia nada melhor. Estava com os olhos inchados e a pele cinzenta, e acho que fazia dias que não lavava o cabelo, porque ele estava todo grudento e sem brilho.

— Talvez seja melhor você tomar um banho. Minha mãe diz que a gente sempre se sente melhor depois de um banho.

— Está querendo dizer que estou fedendo?

— Ahn, não...

Olhei pela janela. Estava um dia claro, sem nuvens. Apostava que Clay estava se divertindo. E que Steven e Conrad também. Conrad tinha esvaziado seu antigo cofre de porquinho e encontrado uma porção de moedas de 25 centavos. Aposto como os dois iam passar a tarde toda no fliperama. Me perguntei quanto tempo Clay passaria lá fora. Talvez conseguisse encontrar com ele dali a algumas horas. Ainda estaria claro.

Acho que Belly me viu olhando pela janela, porque disse, com uma voz bem orgulhosa:

— Vá lá, se quiser.

— Eu já disse que não quero ir — disparei.

Então respirei. Minha mãe não ia gostar se eu deixasse Belly chateada, ainda mais quando ela estava doente daquele jeito. E ela parecia mesmo solitária. Meio que fiquei com pena dela, presa em casa o dia todo. Ficar resfriado no verão era a pior coisa.

— Quer que eu ensine você a jogar pôquer? — perguntei.

— Você não sabe jogar — zombou ela. — Conrad sempre ganha.
— Então está bom.
Me levantei. Não estava com *tanta* pena dela.
— Ah, tá, deixa pra lá. Você pode me ensinar.
Sentei de novo.
— Passe as cartas pra cá — falei, irritado.
Percebi que Belly se sentiu mal, porque disse:
— Não se sente muito perto de mim. Você vai acabar ficando doente também.
— Tudo bem. Eu nunca fico doente.
— Conrad também não — disse ela, e revirei os olhos.
Belly idolatrava Conrad, assim como Steven.
— Conrad fica doente, sim. No inverno, ele fica doente o tempo todo. O sistema imunológico dele é fraco — retruquei, embora não soubesse se isso era verdade ou não.
Ela deu de ombros, mas percebi que não acreditou em mim. Me entregou o baralho.
— Dê as cartas — ordenou.
Jogamos pôquer a tarde toda, e até que foi bem divertido. Fiquei doente dois dias depois, mas não me importei muito com isso. Belly ficou em casa comigo, e jogamos mais pôquer e ficamos um tempão vendo *Simpsons*.

35

Jeremiah

Assim que ouvi Belly subindo a escada, fui ao encontro dela no corredor.

— E então? O que está acontecendo?

— Minha mãe vai ligar pro seu pai — disse, em tom sério.

— Vai? Nossa!

— Vai. Então, tipo, não desista ainda. A história ainda não acabou.

Franzindo o nariz, ela me deu um daqueles sorrisos.

Dei um tapinha nas costas dela e desci a escada praticamente correndo. Laurel estava lá embaixo, limpando o balcão. Quando me viu, disse:

— Seu pai está vindo pra cá. Para o café da manhã.

— Pra cá?

Laurel assentiu.

— Pode ir ao mercado comprar algumas coisas de que ele gosta? Ovos e bacon. Mistura pra bolo. E aquelas grapefruits grandes.

Laurel detestava cozinhar. Ela definitivamente nunca tinha preparado um café da manhã reforçado para o meu pai.

— Por que você vai cozinhar pra ele? — perguntei.

— Porque ele é uma criança, e crianças ficam mal-humoradas quando estão com fome — explicou ela, daquele jeito seco característico.

Do nada, falei:

— Às vezes eu odeio ele.

Ela hesitou antes de dizer:

— Às vezes, eu também.

E então esperei que ela dissesse "mas ele é seu pai", como minha mãe costumava fazer. Mas Laurel não disse isso. Ela não fingia. Não dizia coisas que não queria dizer.

Tudo que ela disse foi:

— Agora vai lá.

Levantei e dei um abraço apertado nela. Laurel ficou toda rígida nos meus braços. Eu a levantei no ar um pouco, como costumava fazer com minha mãe.

— Obrigado, Lau. Sério mesmo, obrigado.

— Eu faço qualquer coisa por vocês, os meninos da Susannah. Você sabe disso, Jeremiah.

— Como você soube que precisava vir?

— Belly me ligou.

Então estreitou os olhos para mim.

— Bêbada.

Ah, cara.

— Lau...

— Não venha me chamar de "Lau". Como você pôde deixá-la beber? Eu conto com você, Jeremiah. Você sabe disso.

Agora eu também estava me sentindo péssimo. A última coisa que eu queria era que Belly se metesse em problemas, e eu realmente detestava a ideia de Laurel pensar mal de mim. Eu sempre me esforcei muito para cuidar da Belly, ao contrário do Conrad. Se alguém a havia tratado mal, tinha sido Conrad, não eu. Embora eu tivesse comprado a tequila, não ele.

— Eu sinto muito, de verdade. É que essa história do meu pai vender a casa e de ontem ser nossa última noite... a gente acabou se empolgando. Juro, Lau, nunca mais vai acontecer.

Ela revirou os olhos.

— Nunca mais vai acontecer? Não faça promessas que não pode cumprir, querido.

— Nunca mais vai acontecer quando eu estiver por perto.

Estreitando os lábios, ela disse:

— Veremos.

Fiquei aliviado quando ela me deu outro sorriso.

— Agora, rápido, vá até o mercado, por favor.

— Sim, senhora!

Queria que ela sorrisse de verdade. Sabia que se eu continuasse tentando, fazendo brincadeiras, ela ia sorrir. Laurel era fácil assim.

Desta vez, ela realmente sorriu.

36

Minha mãe tinha razão. O banho ajudou. Virei a cabeça na direção do jato e deixei a água quente me lavar e me senti muito, muito melhor.

Depois do banho, quando desci outra vez, eu me sentia como uma nova mulher. Minha mãe tinha passado batom, e ela e Conrad conversavam em voz baixa.

Os dois pararam de conversar quando me viram parada na porta.

— Muito melhor — comentou minha mãe.

— Onde está o Jeremiah? — perguntei.

— Ele voltou ao mercado. Esqueceu a grapefruit — explicou ela.

O timer disparou, e minha mãe tirou os bolinhos do forno com um pano de prato. Sem querer, tocou a forma de bolinhos com a mão, deu um grito e deixou a forma cair no chão, com os bolinhos para baixo.

— Droga!

Conrad perguntou se ela estava bem antes de eu perguntar.

— Estou ótima — respondeu ela, colocando a mão sob a água fria.

Então recolheu a forma e a colocou no balcão, em cima da toalha. Eu me sentei em um dos bancos altos do balcão e vi minha mãe tirar os bolinhos e colocar em uma cesta.

— Nosso segredinho — brincou.

Os bolinhos precisavam esfriar um pouco antes de desenformar, mas eu não disse isso a ela. Alguns se despedaçaram, mas a maioria parecia boa.

— Coma um bolinho — sugeriu.

Peguei um, e ele estava pelando de quente e desmoronando, mas estava bom. Eu o devorei.

Quando terminei, minha mãe disse:

— Você e Conrad, levem o lixo pra fora.

Sem dizer uma palavra, Conrad pegou dois dos sacos mais pesados e deixou que eu pegasse o que estava pela metade. Eu o segui até os latões de lixo no final da entrada de carros.

— Você ligou pra ela? — perguntou ele.

— Acho que sim.

Esperei que ele me chamasse de bebezinha por ligar para a mamãe no instante em que as coisas ficavam assustadoras.

Conrad não fez isso. Pelo contrário, ele disse:

— Obrigado.

— Às vezes você me surpreende — falei, olhando para ele.

Ele não retribuiu o olhar.

— E você dificilmente me surpreende. Ainda é a mesma.

Olhei furiosa para ele.

— Muito obrigada.

Larguei meu saco de lixo no latão e exagerei na força ao fechar a tampa.

— Não, eu quero dizer...

Esperei que ele dissesse alguma coisa, e pareceu que ia dizer, mas então o carro de Jeremiah virou na rua. Ficamos observando ele estacionar e sair com uma sacola de compras. Veio até nós, os olhos brilhando.

— E aí? — disse para mim, balançando a sacola.

— E aí — respondi.

Eu não conseguia sequer encará-lo. Tudo voltou à minha cabeça quando eu estava no banho. Eu fazendo Jeremiah dançar comigo, fugindo com Conrad e ele me pegando no colo e me largando na areia. Como foi humilhante. Como foi horrível eles terem visto eu me comportando daquele jeito.

Então Jeremiah deu um apertão na minha mão e, quando olhei para ele, ele disse "obrigado" de um jeito tão doce que doeu.

Nós três voltamos para a casa. "Message in a Bottle" do The Police estava tocando muito alto. Minha cabeça começou a latejar, e tudo que eu queria era voltar para a cama.

— Podemos abaixar o volume? — perguntei, passando os dedos nas têmporas.

— Não — disse minha mãe, pegando a sacola de Jeremiah.

Ela pegou uma grapefruit grande e a atirou para Conrad.

— Esprema — mandou, apontando para o espremedor.

O espremedor pertencia ao Sr. Fisher, um daqueles aparelhos Jack LaLanne enormes e complicados que anunciam nos canais de vendas.

Conrad bufou.

— Pra ele? Não vou espremer grapefruit pra ele.

— Vai, sim.

Para mim, minha mãe disse:

— O Sr. Fisher está vindo para o café da manhã.

Dei um gritinho. Corri até ela e passei os braços por sua cintura.

— É só um café da manhã — alertou. — Não vá se encher de esperanças.

Mas era tarde demais. Eu sabia que ela faria o Sr. Fisher mudar de ideia. Eu sabia. E Jeremiah e Conrad também. Eles acreditavam na minha mãe, assim como eu — mais ainda depois que Conrad começou a cortar a grapefruit ao meio. Minha mãe acenou com a cabeça para ele como um sargento instrutor. Então ordenou:

— Jere, você arruma a mesa. Belly, você prepara os ovos.

Comecei a quebrar os ovos em uma tigela, e mamãe fritou bacon na frigideira de ferro fundido de Susannah. Ela deixou que eu usasse a gordura do bacon para fritar os ovos. Mexi os ovos, e o cheiro deles misturado ao de gordura me deu ânsia de vômito. Prendi a respiração e continuei mexendo, e minha mãe tentou esconder um sorriso enquanto me observava.

— Está se sentindo bem, filha? — perguntou.

Assenti, cerrando os dentes.

— Pensando em beber de novo? — perguntou, como quem não quer nada.

Balancei a cabeça o mais forte que pude.

— Nunca, nunca mais.

Quando o Sr. Fisher chegou, meia hora depois, estava tudo pronto. Ele entrou e olhou para a mesa, espantado.

— Nossa! Está tudo com uma cara ótima, Lau. Obrigado.

Ele lançou a ela um olhar significativo, o tipo de olhar de adultos conspirando.

Minha mãe abriu um sorriso de Mona Lisa. O Sr. Fisher nem ia saber o que o havia atropelado.

— Vamos sentar — disse ela.

Então todos nos sentamos à mesa. Minha mãe ficou ao lado do Sr. Fisher, e Jeremiah, na frente dele. Eu me sentei ao lado de Conrad.

— Atacar — disse minha mãe.

Vi o Sr. Fisher se servir de uma porção de ovos e quatro tiras de bacon. Ele amava bacon, e adorava a maneira como minha mãe havia preparado — torradinho, crocante quase queimado. Não comi nem bacon nem ovos e peguei só um bolinho.

Mamãe serviu um copo alto de grapefruit ao Sr. Fisher.

— Suco fresquinho, uma cortesia do seu primogênito — anunciou.

Ele aceitou o suco, um pouco desconfiado. Eu não podia culpá-lo. Susannah era a única pessoa que fazia suco para o Sr. Fisher.

Mas ele se recuperou depressa. Enfiou uma garfada de ovos na boca e disse:

— Veja só, obrigado mais uma vez por vir ajudar, Laurel. Eu realmente agradeço.

Olhou para nós, sorrindo.

— Esses três não estavam muito dispostos a ouvir o que eu tinha a dizer. Estou contente por ter seu apoio.

Minha mãe sorriu para ele de maneira igualmente amigável.

— Ah, eu não estou aqui pra apoiar você, Adam. Estou aqui pra dar apoio aos meninos da Beck.

O sorriso dele desapareceu. Ele largou o garfo.

— Lau...

— Você não pode vender esta casa, Adam. E sabe disso. Ela significa muito para os garotos. Isso seria um erro.

Minha mãe estava calma, falando em um tom prático.

O Sr. Fisher olhou para Conrad e Jeremiah e então para minha mãe.

— Eu já tomei minha decisão, Laurel. Não faça com que eu pareça o vilão aqui.

Inspirando, minha mãe retrucou:

— Eu não estou fazendo você parecer nada. Só estou tentando ajudar.

Nós três ficamos absolutamente imóveis enquanto esperávamos o Sr. Fisher falar. Ele estava se esforçando para manter a calma, mas seu rosto começou a ficar vermelho.

— Agradeço por isso. Mas já tomei minha decisão. A casa está à venda. E, sinceramente, Laurel, você não tem direito a voto nessa questão. Sinto muito. Sei que Suze sempre fez você se sentir como se esta casa fosse em parte sua, mas não é.

Quase me engasguei. Olhei rapidamente para minha mãe e vi que ela também estava ficando vermelha.

— Ah, eu sei disso. Esta casa é apenas da Beck. Sempre foi da Beck. Era o lugar preferido dela. É por isso que os meninos devem ficar com ela.

O Sr. Fisher se levantou e empurrou a cadeira.

— Não vou discutir a respeito disso com você, Laurel.

— Adam, sente-se — ordenou minha mãe.

— Não, acho que não vou me sentar.

Os olhos dela estavam em brasa.

— Eu disse *sente-se*, Adam.

Ele olhou para ela boquiaberto. Todos olhamos. Então ela disse:

— Crianças, saiam.

Conrad abriu a boca para discutir, mas pensou melhor, ainda mais quando viu a expressão no rosto da minha mãe e o pai dele voltou a se sentar. Eu quase não consegui sair de lá rápido o bastante. Todos saímos correndo da cozinha e nos sentamos no topo da escada, tentando escutar.

Não precisamos esperar por muito tempo.

— Que droga é essa, Laurel? Você realmente achou que conseguiria me pressionar a mudar de ideia?

— Com licença, Adam, vá se foder.

Coloquei a mão na boca. Os olhos de Conrad estavam brilhando, e ele balançava a cabeça, admirado. Jeremiah, no entanto, parecia prestes a chorar. Estendi o braço, segurei a mão dele e dei um apertão. Quando ele tentou puxar a mão de volta, eu a segurei com mais força.

— Esta casa significava tudo pra Beck. Você não consegue passar por cima da própria dor e ver o que ela significa pros meninos? Eles precisam disso. Eles *precisam* disso. Não quero acreditar que você seja tão cruel assim, Adam.

Ele não respondeu.

— Esta casa é dela. Não é sua. Não me faça impedir você, Adam. Porque eu vou impedir. Vou fazer tudo que estiver ao meu alcance para manter esta casa para os meninos da Beck.

— O que você vai fazer, Lau? — perguntou o Sr. Fisher, parecendo muito cansado.

— Farei o que for preciso.

— Ela está em toda parte aqui. Em toda parte. — A voz dele saiu abafada quando ele falou.

Ele parecia estar chorando. Quase senti pena. Acho que minha mãe também, porque sua voz soou quase gentil.

— Eu sei. Mas, Adam? Você foi uma porcaria de marido. E mesmo assim ela amava você. Amava de verdade. Ela até aceitou você de volta. Eu tentei convencê-la do contrário. Deus sabe que eu tentei. Mas a Beck não me escutava, porque quando se decidia em relação a alguém, pronto. E ela se decidiu em relação a você, Adam. Faça por merecer. Prove que eu estou errada.

Ele disse alguma coisa que eu não consegui escutar direito. E então minha mãe falou:

— Faça esta última coisa por ela. Está bem?

Olhei para Conrad, e ele disse em voz baixa, sem se dirigir a ninguém em especial:

— Laurel é incrível.

Eu nunca havia escutado alguém descrever minha mãe daquele jeito, muito menos Conrad. Eu nunca havia pensado nela como alguém "incrível". Mas, naquele momento, ela era. Era mesmo.

— É. Ela é. Susannah também era — falei.

Conrad olhou para mim por um instante, então se levantou e foi para o quarto dele sem esperar para ouvir o que mais o Sr. Fisher ia dizer. Não precisava. Minha mãe tinha vencido. Tinha conseguido.

Um pouco depois, quando pareceu que tudo estava tranquilo, Jeremiah e eu descemos de novo. Minha mãe e o Sr. Fisher estavam na cozinha tomando café como adultos costumam fazer. Os olhos dele estavam avermelhados, mas os dela eram os olhos brilhantes de uma vitoriosa. Quando nos viu, ele perguntou:

— Onde está o Conrad?

Quantas vezes eu tinha ouvido o Sr. Fisher dizer "onde está o Conrad?". Centenas, milhares de vezes.

— Lá em cima — disse Jeremiah.

— Chame ele, por favor, Jere.

Jeremiah hesitou e olhou para minha mãe, que assentiu. Ele subiu a escada e, alguns minutos depois, Conrad desceu com ele, com uma expressão reservada e cautelosa no rosto.

— Vou fazer um acordo com você — anunciou o Sr. Fisher.

Aquele era o velho Sr. Fisher, com seu jeito corretor, negociador. Ele adorava fazer acordos. Costumava nos oferecer trocas. Tipo, ele nos levaria à pista de kart se varrêssemos a areia da garagem. Ou levaria os meninos para pescar se eles limpassem todas as caixas de iscas.

Ponderadamente, Conrad disse:

— O que você quer? Meu fundo fiduciário?

O Sr. Fisher enrijeceu o maxilar.

— Não. Quero você de volta à faculdade amanhã. Quero que faça suas provas. Se fizer isso, a casa é sua. Sua e do Jeremiah.

Jere deu um grito de comemoração.

— Viva!

Ele deu um salto para a frente e envolveu o Sr. Fisher em um abraço, e o pai lhe deu tapinhas nas costas.

— Qual é a pegadinha? — perguntou Conrad.

— Nenhuma pegadinha. Mas você precisa ficar acima da média. O Sr. Fisher sempre se orgulhou de ser duro na negociação.

— Temos um acordo?

Conrad hesitou. Eu logo soube o que estava errado. Ele não queria ficar devendo nada ao pai. Embora fosse o que ele queria, embora fosse o objetivo pelo qual tivesse ido até ali. Ele não queria aceitar nada do pai.

— Eu não estudei. Talvez não passe.

Ele o estava testando. Conrad nunca "não passou". Ele nunca havia tirado notas ruins. No geral, ele arrasava.

— Então não tem acordo — retrucou o Sr. Fisher. — Essas são as condições.

Ansioso, Jeremiah disse:

— Con, apenas diga sim, cara. Vamos ajudar você a estudar. Não vamos, Belly?

Conrad olhou para mim, e eu olhei para minha mãe:

— Posso, mamãe?

Ela assentiu.

— Pode ficar. Mas tem que estar em casa amanhã.

— Aceite o acordo — pedi a Conrad.

— Está bem — aceitou ele, afinal.

— Então aperte aqui, feito um homem — disse o Sr. Fisher, estendendo a mão.

Conrad estendeu o braço com relutância, e os dois apertaram as mãos. Minha mãe olhou para mim, repetiu "feito um homem" com os lábios, e eu sabia que ela estava pensando em como o Sr. Fisher era machista. Mas isso não importava. Nós tínhamos vencido.

— Obrigado, papai — disse Jeremiah. — Sério mesmo, obrigado.

Ele abraçou o pai de novo, e o Sr. Fisher retribuiu o abraço.
— Preciso voltar para a cidade — disse ele, em seguida.
Então acenou para mim com a cabeça.
— Obrigado por ajudar Conrad, Belly.
— De nada — respondi.

Mas não sabia por que estava dizendo "de nada", porque eu não havia feito nada, na verdade. Minha mãe havia ajudado mais em meia hora do que eu em toda a vida.

Depois que o Sr. Fisher foi embora, minha mãe se levantou e começou a enxaguar a louça. Fui ajudá-la e coloquei os itens no lava-louças. Deitei a cabeça no ombro dela por um instante.
— Obrigada — agradeci.
— De nada.
— Você foi do cacete, mamãe.
— Não fale palavrão — disse ela, um sorriso movendo os cantinhos da boca.
— Olha quem fala.

Então lavamos a louça em silêncio, e minha mãe ficou com aquela expressão triste no rosto. Eu sabia que ela estava pensando em Susannah. Queria que houvesse alguma coisa que eu pudesse dizer para afastar aquele sentimento, mas às vezes simplesmente não há o que possa ser dito.

Nós três a acompanhamos até o carro.
— Vocês a levam pra casa amanhã? — perguntou ela, atirando a bolsa no banco do carona.
— Com certeza — disse Jeremiah.
Então Conrad chamou:
— Laurel.
Ele hesitou.
— Você vai voltar, não vai?
Minha mãe se virou para ele, surpresa. Ela estava comovida.

— Vocês vão querer uma velha como eu por perto? — perguntou.
— Claro. Eu volto sempre que vocês me convidarem.
— Quando? — perguntou ele.
Conrad pareceu tão jovem, tão vulnerável, que senti um aperto no peito.
Acho que minha mãe estava sentindo a mesma coisa, porque ela estendeu a mão e tocou o rosto dele. Ela não era de tocar o rosto das pessoas. Simplesmente não era o jeito dela. Mas era o jeito de Susannah.
— Antes do fim do verão. E vou voltar pra fechar a casa também.
Então minha mãe entrou no carro. Acenou para nós enquanto dava marcha à ré na entrada de carros, colocou os óculos escuros e abriu as janelas.
— Até mais — disse.
Jeremiah acenou, e Conrad repetiu:
— Até mais.
Uma vez, mamãe me contou que quando Conrad era muito pequeno, ele a chamava de "minha Laura". "Onde está minha Laura?", dizia, procurando por ela. Contou que ele a seguia por toda parte, até no banheiro. Ele a chamava de sua namorada e lhe trazia caranguejos e conchas do mar, que colocava aos seus pés. Quando ela me contou isso, pensei: *O que eu não daria para Conrad Fisher me chamar de namorada dele e me trazer conchas do mar.*
— Tenho certeza de que ele não se lembra disso — afirmou ela, com um sorrisinho.
— Por que você não pergunta a ele? — falei, na ocasião.
Eu adorava ouvir histórias de quando Conrad era pequeno. Adorava provocá-lo, porque eram muito raras as oportunidades de fazer isso com ele.
— Não, Conrad ficaria encabulado.
— E daí? Não é esse o objetivo?
Então ela explicou:
— Conrad é sensível. E muito orgulhoso. Deixe ele quieto.

Pela maneira como disse aquilo, percebi que ela realmente o entendia. Minha mãe o compreendia de uma maneira que eu não conseguia compreender. Eu tinha ciúme disso, dos dois.

— Como eu era? — perguntei.

— Você? Você era meu bebê.

— Mas como eu *era*? — insisti.

— Você ficava correndo atrás dos meninos. Era muito bonitinho como você estava sempre seguindo os três, tentando impressioná-los.

Minha mãe deu risada.

— Eles costumavam fazer você dançar e aprender truques.

— Tipo um filhotinho? — franzi a testa, pensando nisso.

Ela acenou com a mão.

— Ah, você adorava. Você gostava mesmo era de participar.

37

Jeremiah

No dia em que Laurel veio aqui, a casa estava um caos, e eu estava de cueca passando minha camisa branca de botão. Eu já estava atrasado para o banquete dos formandos e de péssimo humor. Minha mãe mal falara duas palavras o dia todo, e nem Nona conseguiu fazê-la falar.

Eu devia buscar Mara, e ela detestava quando eu me atrasava. Ficava toda irritada e de cara feia pelo tempo que eu a havia deixado esperando.

Tinha largado o ferro por um instante para virar a camisa, mas acabei queimando a parte de trás do braço.

— Merda! — gritei.

Aquilo doeu muito.

Foi nesse momento que Laurel apareceu. Ela entrou pela porta da frente e me viu de pé na sala, só de cueca, apertando o braço.

— Coloque embaixo de água corrente — recomendou.

Corri até a cozinha e fiquei com o braço embaixo da torneira por alguns minutos. Quando voltei, ela já tinha acabado de passar minha camisa e estava começando a passar a calça cáqui.

— Você gosta daqueles vincos na frente? — perguntou.

— Ahn, claro — respondi. — O que você está fazendo aqui, Laurel? É terça-feira.

Ela normalmente vinha nos fins de semana e ficava no quarto de hóspedes.

— Só vim dar uma conferida em como estão as coisas — explicou, passando o ferro na parte da frente da calça. — Eu tinha a tarde livre.

— Minha mãe já está dormindo — falei. — Com o novo remédio que está tomando, ela dorme o tempo todo.
— Que bom. E você? Por que está se arrumando tanto?
Me sentei no sofá e coloquei as meias.
— O banquete dos formandos é hoje à noite.
Laurel me entregou a camisa e a calça.
— A que horas começa?
Olhei para o relógio de pêndulo no hall de entrada.
— Dez minutos atrás — falei, vestindo a calça.
— É melhor ir logo.
— Obrigado por passar minha roupa.
Estava pegando as chaves quando ouvi minha mãe me chamar do quarto. Virei na direção da porta dela, mas Laurel disse:
— Vá para o banquete, Jere. Deixe comigo.
Hesitei.
— Tem certeza?
— Cem por cento. Se manda.

Acelerei o caminho todo até a casa de Mara. Ela saiu assim que parei na entrada de carros. Usava o vestido vermelho de que eu gostava e estava bonita, e eu já ia dizer isso, mas ela interrompeu:
— Você está atrasado.
Fechei a boca. Mara ficou sem falar comigo pelo resto da noite, não falou nem mesmo quando ganhamos o título de casal mais bonito. Ela não estava a fim de ir à festa de Patan depois, e eu também não. O tempo todo em que estivemos fora, só fiquei pensando na minha mãe e me sentindo culpado por estar longe por tanto tempo.

Quando cheguei à casa de Mara, ela não saiu imediatamente, o que era seu sinal de que queria conversar. Desliguei o motor.
— Então, o que está havendo? Você ainda está brava comigo por ter me atrasado?
Ela pareceu triste.

— Eu só quero saber se nós vamos ficar juntos. Pode apenas me dizer o que você quer fazer, e então a gente faz?

— Sinceramente, eu não consigo pensar nesse tipo de coisa agora.

— Eu sei. Sinto muito.

— Mas, se eu tivesse que dizer se acho ou não que vamos continuar juntos quando formos para a faculdade no outono, a distância... — hesitei, e então simplesmente segui em frente: — eu provavelmente diria que não.

Mara começou a chorar, e me senti um merda. Eu devia ter mentido para ela.

— Foi o que eu pensei.

Então ela me deu um beijo no rosto, saiu correndo do carro e entrou em casa.

Foi assim que terminamos. Para ser sincero, admito que foi um alívio não precisar pensar mais nela. A única pessoa para quem eu tinha espaço na cabeça era minha mãe.

Quando cheguei em casa, minha mãe e Laurel ainda estavam acordadas jogando cartas e ouvindo música. Pela primeira vez em dias, ouvi minha mãe rir.

Laurel não foi embora no dia seguinte. Ela ficou com a gente a semana toda. Na época, não me perguntei sobre seu trabalho ou sobre todas as outras coisas que estavam acontecendo em sua casa. Simplesmente fiquei agradecido por ter um adulto por perto.

38

Nós três voltamos para a casa. Senti o sol quente nas costas e pensei em como seria bom poder deitar na praia por um tempo, dormir a tarde toda e acordar bronzeada. Mas não havia tempo para isso. Não quando precisávamos preparar Conrad para as provas dele no dia seguinte.

Quando entramos, Conrad se atirou no sofá, e Jeremiah ficou estatelado no chão.

— Muito cansado — gemeu.

O que minha mãe havia feito por nós, por mim, tinha sido um presente. Agora era minha vez de retribuir.

— Levantem — ordenei.

Nenhum dos dois se mexeu. Conrad estava com os olhos fechados. Então, atirei uma almofada nele e acertei Jeremiah na barriga com o pé.

— Precisamos começar a estudar, seus vagabundos. Agora vamos, se levantem!

Conrad abriu os olhos.

— Estou cansado demais para estudar. Preciso tirar um cochilo primeiro.

— Eu também — disse Jeremiah.

Cruzando os braços, olhei furiosa para os dois.

— Eu também estou cansada, sabiam? Mas olhem para o relógio: já é uma da tarde. Vamos ter que estudar a noite toda e sair bem cedo amanhã de manhã.

Dando de ombros, Conrad respondeu:

— Eu trabalho melhor sob pressão.

— Mas...

— Sério, Belly. Assim eu não funciono. Só me deixe dormir por uma hora.

Jeremiah já estava caindo no sono. Suspirei. Eu não conseguia lutar contra os dois.

— Certo. Uma hora. Mas é só.

Entrei na cozinha e me servi de Coca-Cola. Também estava tentada a tirar um cochilo, mas isso daria um mau exemplo.

Enquanto os dois dormiam, dei início ao planejamento. Peguei os livros de Conrad no carro, desci com o computador e arrumei a cozinha como uma sala de estudos. Liguei luminárias, empilhei livros e pastas conforme o assunto, separei canetas e papel. Por último, preparei um bule grande de café, e, embora eu não tomasse, sabia que o meu café era bom, porque fazia um bule para minha mãe todas as manhãs.

Então peguei o carro de Jeremiah e fui até o McDonald's comprar cheeseburgers. Os dois adoravam os cheeseburgers do McDonald's. Costumavam disputar concursos de quem comia mais e empilhavam os sanduíches como se fossem panquecas. Às vezes, eles me deixavam participar também. Uma vez, eu ganhei. Comi nove cheeseburgers.

Deixei que dormissem meia hora a mais — mas só porque precisei desse tempo para preparar tudo. Então enchi o borrifador de Susannah, o que ela usava para regar as plantas mais delicadas. Borrifei água em Conrad primeiro, bem nos olhos.

— Ei — reclamou ele, acordando na mesma hora.

Conrad secou o rosto com a parte de baixo da camiseta, e eu dei mais uma borrifada, só por ter feito isso.

— Bom dia, flor do dia — cantarolei.

Então fui até Jeremiah e borrifei água nele também. Mas Jere não acordou. Sempre foi impossível acordá-lo. Ele era capaz de dormir durante um maremoto. Borrifei e borrifei, e como ele apenas se virou de lado, tirei a tampa do borrifador e joguei a água direto nas costas da camiseta dele.

Jeremiah finalmente acordou e alongou os braços, ainda deitado no chão. Me deu um sorriso lento, como se estivesse acostumado a ser acordado assim.

— Bom dia — cumprimentou.

Podia ser difícil acordá-lo, mas ele nunca estava mal-humorado quando finalmente despertava.

— Não é de manhã. São quase três da tarde. Deixei vocês dormirem meia hora a mais, então, podem me agradecer — disparei.

— Eu agradeço — disse Jeremiah, estendendo o braço para eu ajudá-lo a se levantar.

Dei a mão de má vontade e o ajudei a ficar de pé.

— Vamos lá.

Os dois me acompanharam até a cozinha.

— Mas o quê... — disse Conrad, olhando para todas as coisas dele ao redor.

Jeremiah juntou as mãos e em seguida levantou uma delas para eu bater, e dei um tapinha.

— Você é incrível! — exclamou.

Então farejou o ar, encontrou o embrulho branco gorduroso e ficou todo animado.

— Viva! Cheeseburgers do McDonald's! Eu reconheceria esse cheiro em qualquer lugar.

Afastei as mãos dele com um tapa.

— Ainda não. Tem um sistema de recompensa montado aqui. Conrad estuda e depois ganha comida.

— E eu? — perguntou Jere, franzindo a testa.

— Conrad estuda, e você ganha comida.

Conrad ergueu as sobrancelhas para mim.

— Um sistema de recompensa, é? O que mais eu ganho?

— Só os cheeseburgers — respondi, encabulada.

Seus olhos me percorreram com ar de avaliação, como se ele estivesse tentando decidir se ia ou não comprar um casaco. Senti meu rosto esquentando enquanto ele me fitava.

— Por mais que eu goste da ideia de um sistema de recompensa, eu abro mão — disse ele, afinal.

— Do que você está falando? — perguntou Jeremiah.

Conrad deu de ombros.

— Eu estudo melhor quando estou sozinho. Está tudo sob controle. Vocês podem ir.

Jeremiah balançou a cabeça, irritado.

— Como sempre. Você não suporta pedir ajuda. Bom, que azar pra você, porque nós vamos ficar.

— O que vocês sabem sobre psicologia do primeiro ano? — perguntou Conrad, cruzando os braços.

Jeremiah se levantou.

— Nós vamos descobrir.

Ele piscou para mim.

— Bells, podemos comer primeiro? Preciso de algo gorduroso.

Eu sentia como se tivesse ganhado um prêmio. Como se fosse invencível. Enfiando a mão no saco de papel, falei:

— Um pra cada um. Só isso.

Quando Conrad estava de costas, procurando pelo Tabasco no armário, Jeremiah estendeu a mão para outro cumprimento. Bati nela em silêncio, e sorrimos um para o outro. Jere e eu formávamos uma boa dupla, sempre tínhamos formado.

Comemos nossos cheeseburgers em silêncio. Assim que terminamos, falei:

— Como você quer fazer isso, Conrad?

— Considerando que eu simplesmente não quero fazer isso, vou deixar vocês dois decidirem — retrucou.

Ele estava com mostarda no lábio inferior.

— Está bem, então.

Eu estava preparada.

— Você lê. Eu faço as fichas de leitura de psicologia. Jeremiah marca o texto.

— Jere não sabe marcar texto — zombou Conrad.

— Ei! — protestou Jeremiah. Então, virando para mim, admitiu: — Ele tem razão. Sou péssimo marcando textos. Acabo destacando a página toda. Eu faço as fichas de leitura e você marca o texto, Bells.

Abri um pacote de fichas em branco e entreguei a Jeremiah. Por incrível que pareça, Conrad me ouviu. Pegou o livro de psicologia da pilha de livros e começou a ler.

Sentado à mesa, estudando com a testa franzida, ele parecia o velho Conrad. O que se importava com coisas como provas, camisas bem-passadas e pontualidade. A ironia de tudo era que Jeremiah nunca foi um grande aluno. Ele detestava estudar. Detestava notas. Aprender era, e sempre havia sido, uma habilidade de Conrad. Desde o começo, era ele quem tinha o kit de química, quem pensava em experiências para fazermos como assistentes de cientista. Lembro quando ele descobriu a palavra "absurdo" e andava por toda parte a repetindo o tempo todo. "Isso é *absurdo*", dizia ele. Ou "beócio", seu insulto preferido. Ele dizia muito isso também. No verão em que tinha dez anos, ele tentou ler toda a *Enciclopédia Britânica*. Quando voltamos para a casa de praia, no verão seguinte, ele estava na letra Q.

Então me dei conta disso de repente. Eu sentia saudade dele. Todo aquele tempo. Quando se olhava debaixo de tudo, aquilo ainda estava lá. Sempre tinha estado lá. E embora ele estivesse sentado a poucos metros de mim, eu sentia mais saudade dele do que nunca.

Piscando, eu o observava e pensava: *Volte. Seja o Conrad que eu amo e de quem me lembro.*

39

Tínhamos acabado de estudar psicologia, e Conrad estava com os fones de ouvido, fazendo seu texto de inglês, quando meu celular vibrou. Era Taylor. Eu não sabia ao certo se ela estava me ligando para pedir desculpas ou para exigir que eu levasse as coisas dela de volta imediatamente. Talvez um pouco de cada. Desliguei o aparelho.

Com toda aquela situação na casa, eu não tinha pensado em nossa briga nenhuma vez. Eu estava na casa de praia fazia apenas dois dias e, como sempre, já havia me esquecido de Taylor e de todo o resto em casa. O que importava para mim estava ali. Sempre tinha sido assim.

Todas aquelas coisas que ela disse me magoaram. Talvez porque fossem verdade. Mas eu não sabia se podia perdoá-la por tê-las dito.

Estava escurecendo lá fora quando Jeremiah se inclinou e disse, em voz baixa:

— Sabe, se quiser, você pode ir embora esta noite. Pode ir com o meu carro. Posso ir buscá-lo amanhã, depois de Conrad terminar as provas. A gente podia passar um tempo juntos, ou coisa parecida.

— Ah, eu não vou embora agora. Quero ir com vocês amanhã.

— Tem certeza?

— Sim, tenho certeza. Você não quer que eu vá com vocês?

Estava começando a ficar magoada com a maneira como ele estava agindo, como se os dois estivessem se impondo, como se não fôssemos uma família.

— Claro que quero.

Ele fez uma pausa, e parecia que ia dizer outra coisa.

Cutuquei-o com minha caneta marca-texto.

— Você está com medo de se encrencar com a *Mara*?

Eu só estava meio que brincando. Ainda não podia acreditar que ele não havia me contado que tinha uma namorada. Não sabia exatamente por que aquilo importava, mas importava. Nós dois éramos próximos, ou pelo menos costumávamos ser. Eu devia saber se ele estava namorando alguém ou não. E há quanto tempo eles tinham "terminado", aliás? Ela não tinha ido ao funeral, ou pelo menos eu achava que não. Bem, não era como se Jeremiah fosse sair apresentando a garota para as pessoas. Que tipo de namorada não vai ao funeral da mãe do namorado? Até a ex-namorada de Conrad tinha ido.

Jeremiah olhou para o irmão e baixou a voz:

— Eu já disse. Mara e eu não estamos mais juntos.

Como eu não respondi, ele continuou:

— Qual é, Belly. Não fique brava.

— Eu não acredito que você não me contou dela — falei, destacando um parágrafo inteiro. — Não acredito que você guardou esse segredo.

— Não tinha nada pra contar, eu juro.

— Rá!

Mas eu estava me sentindo melhor. Espiei Jeremiah, e ele me olhava, ansioso.

— Tudo bem?

— Tudo bem. Isso não me afeta de jeito nenhum. Só achei que você me contaria uma coisa dessas.

Ele relaxou de novo.

— Nós não estávamos namorando tão sério, acredite. Ela era só uma garota. Não era como o Conrad e...

Eu me mexi, e ele parou de falar, arrependido.

Não era como com Conrad e Aubrey. Ele a amara. Houve um tempo em que Conrad era louco por ela. Ele nunca sentiu aquilo por mim. Nunca. Mas eu o amava. Eu o amei por mais tempo e com mais sinceridade do que qualquer outro na minha vida, e provavelmente nunca mais amaria alguém daquele jeito de novo. O que, para ser sincera, era quase um alívio.

40

6 de julho

QUANDO ACORDEI, NA MANHÃ SEGUINTE, A PRIMEIRA COISA QUE FIZ foi ir até minha janela. Quem sabia quantas outras vezes eu veria aquela paisagem? Todos estávamos ficando mais velhos. Logo eu estaria na faculdade. Mas, a coisa boa, o mais reconfortante, era saber que a janela ainda estaria ali. A casa não seria vendida.

Olhando a paisagem, era impossível saber onde terminava o céu e começava o mar. Eu tinha esquecido como as manhãs podiam ser enevoadas, ali. Fiquei parada, tentando armazenar tudo, tentando fazer a lembrança durar.

Então fui até os quartos de Jeremiah e Conrad e bati nas portas.

— Acordem! Vamos botar o pé na estrada! — gritei, atravessando o corredor.

Desci a escada para pegar um copo de suco, e Conrad estava sentado à mesa da cozinha, onde eu o deixara quando fui dormir perto das quatro da manhã. Ele já estava vestido, fazendo anotações em um caderno.

Fiz menção de sair da cozinha, mas ele olhou para cima.

— Belo pijama — comentou.

Fiquei vermelha. Ainda estava usando o pijama idiota da Taylor. Fazendo uma careta, falei:

— Vamos sair em vinte minutos. Esteja pronto.

Enquanto subia a escada, ouvi Conrad dizer:

— Já estou.

Se ele disse que estava pronto, era porque estava mesmo. Ia passar nas provas. Provavelmente tiraria nota máxima. Conrad não fracassava em nada que se dispunha a fazer.

★ ★ ★

Uma hora depois, estávamos quase a caminho. Eu estava trancando a porta deslizante na varanda quando ouvi Conrad chamar.

— Vamos?

Eu me virei, comecei a perguntar "vamos o quê?" quando Jeremiah apareceu do nada.

— Sim, pelos velhos tempos — disse Jere.

Opa.

— De jeito nenhum — respondi. — De jeito nenhum mesmo.

Quando vi, Jeremiah estava agarrando minhas pernas e Conrad pegou meus braços. Juntos, eles me balançaram para a frente e para trás. Jeremiah gritou "lançamento de Belly!", e os dois me atiraram no ar e, enquanto eu aterrissava na piscina, pensei: *Bom, aí está, eles finalmente se uniram para alguma coisa.*

Quando voltei à superfície, gritei:

— Idiotas!

Isso só fez com que eles dessem ainda mais risada.

Precisei entrar de novo para trocar de roupa, e botei a mesma que usei no primeiro dia: o vestido de Taylor e as sandálias plataforma. Secando o cabelo com uma toalha de rosto, não consegui ficar brava. Cheguei a sorrir sozinha. Aquele possivelmente havia sido o último lançamento de Belly da minha vida, e Steven não estava lá para participar.

Foi de Jeremiah a ideia de irmos em um carro só, para Conrad poder continuar estudando no caminho. Conrad nem tentou sentar no banco da frente, simplesmente foi direto para o de trás e começou a repassar as fichas de leitura.

Como era de se esperar, chorei quando nos afastamos da casa. Agradeci por estar sentada na frente, e de óculos escuros, para que os meninos não mexessem comigo por causa disso. Mas eu adorava aquela casa e detestava dizer adeus. Aquele lugar era mais do que apenas uma casa. Era todos os verões, todos os passeios de barco, cada pôr do sol. Era Susannah.

Viajamos praticamente em silêncio por um tempo, e então Britney Spears começou a tocar no rádio, e eu aumentei o som, botei a música bem alta. Não precisava dizer que Conrad detestava Britney Spears, mas eu não me importava. Comecei a cantar junto, e Jeremiah também.

— *Oh baby baby, I shouldn't have let you go* — cantei e dancei na direção do painel.

Ah, amor, amor, eu não devia ter deixado você ir.

— *Show me how you want it to be* — cantou Jeremiah, balançando os ombros.

Me mostre como você quer que seja.

Quando a música mudou, começou a tocar Justin Timberlake, e Jeremiah fez uma imitação incrível. Ele era tão extrovertido e tranquilo. E me deixava com vontade de ser assim também.

Ele cantou para mim:

— *And tell me how they got that pretty little face on that pretty little frame, girl.*

Me diga como esse rostinho lindo foi parar nessa moldura linda, gata.

Coloquei a mão no coração e fingi me derreter por ele, como uma tiete.

— *Fast fast slow, whichever way you wanna run, girl.*

Rápido rápido devagar, como você quiser correr, gata.

Eu o acompanhei no refrão.

— *This just can't be summer love...*

Isso não pode ser só um amor de verão.

Do banco de trás, Conrad resmungou:

— Vocês dois podem baixar o volume? Estou tentando estudar aqui, lembram?

Eu me virei para ele e disse:

— Ah, desculpe. Está incomodando?

Ele só olhou para mim de cara feia.

Sem dizer nada, Jeremiah baixou a música. Viajamos por mais ou menos uma hora, até que ele perguntou:

— Vocês precisam ir ao banheiro ou coisa parecida? Vou pegar a próxima saída e fazer uma pausa para abastecer.

Balancei a cabeça.

— Não, mas estou com sede.

Paramos no estacionamento do posto e, enquanto Jeremiah abastecia e Conrad tirava um cochilo, corri até a loja de conveniência. Comprei raspadinhas para mim e para Jeremiah: metade Coca-Cola, metade cereja, uma combinação que eu havia aperfeiçoado ao longo dos anos.

Quando voltei, entrei no carro e dei a raspadinha para Jeremiah. Seu rosto se iluminou.

— Ah, valeu, Bells. Que sabor você pegou pra mim?

— Tome e veja.

Ele tomou um longo gole e assentiu, com ar de aprovação.

— Metade Coca, metade cereja, a sua especialidade. Legal.

— Ei, se lembra daquela vez... — comecei a dizer.

— Lembro. Meu pai ainda não quer que ninguém mexa no liquidificador dele.

Apoiei os pés no painel e me recostei, tomando a raspadinha. Pensei comigo mesma: *Felicidade é uma raspadinha e um canudo rosa-choque*.

Do banco de trás, Conrad perguntou, irritado:

— Onde está a minha?

— Achei que você ainda estivesse dormindo — respondi. — E a gente precisa tomar a raspadinha na mesma hora, senão ela derrete... então, achei que não valia a pena trazer.

Conrad olhou irritado para mim.

— Então pelo menos me dê um gole.

— Mas você detesta raspadinhas.

Aquilo era verdade. Conrad não gostava de bebidas açucaradas. Nunca gostou.

— E daí? Estou com sede.

Dei a ele meu copo e me virei para vê-lo beber. Estava esperando que ele fizesse uma careta ou coisa parecida, mas ele só tomou um gole e me devolveu.

— Achei que sua especialidade fosse chocolate quente.

Eu o encarei. Ele realmente tinha dito aquilo? Ele se lembrava? Pela maneira como olhou para mim, com uma das sobrancelhas erguidas, eu soube que sim. E, desta vez, fui eu que desviei o olhar.

Porque eu me lembrava. De tudo.

41

Quando Conrad saiu para fazer a prova, Jeremiah e eu compramos sanduíches de peru com abacate e pão integral e comemos sentados no gramado. Eu estava com muita fome e terminei o meu primeiro.

Quando terminou o dele, Jeremiah fez uma bola com o papel alumínio na mão e jogou na lata de lixo. Voltou a se sentar ao meu lado na grama e disse, do nada:

— Por que você não foi me ver depois que minha mãe morreu?

Gaguejei.

— E-e-eu f-f-fui ao funeral.

Jere ficou me olhando sem piscar.

— Não foi o que eu quis dizer.

— Eu não achei que você quisesse que eu fosse.

— Não, foi porque *você* não queria estar lá. Eu queria você lá.

Ele tinha razão. Eu não queria estar lá. Não queria estar em nenhum lugar perto daquela casa. Pensar em Susannah me dava dor de cabeça. Era uma dor muito grande. Mas a ideia de Jeremiah esperando pela minha ligação, precisando de alguém com quem conversar, doeu demais.

— Você tem razão — concordei. — Eu devia ter ido.

Jeremiah estava presente para ajudar Conrad e Susannah. E a mim. E quem esteve presente para dar apoio a ele? Ninguém. Eu queria que ele soubesse que eu estava ali agora.

Ele olhou para o céu.

— É difícil, sabe? Porque eu quero falar sobre ela. Mas o Conrad não quer. E eu não posso falar com meu pai. E você também não estava lá. Todos a amamos, e ninguém consegue falar sobre ela.

— O que você quer falar?

Ele inclinou a cabeça para trás, pensativo.

— Que eu sinto saudade dela. Muita saudade. Faz só dois meses que ela morreu, mas parece mais tempo. E também parece que acabou de acontecer, tipo ontem.

Assenti. Era exatamente como eu me sentia.

— Você acha que ela estaria feliz?

Ele estava se referindo a Conrad, à maneira como nós o ajudamos.

— Acho.

— Eu também.

Jeremiah hesitou.

— E agora?

— E agora o quê?

— Você vai voltar neste verão?

— Bom, claro. Quando minha mãe for, eu vou junto com ela.

Ele assentiu.

— Que bom. Porque meu pai estava errado, sabe. A casa é sua também. E da Laurel e do Steven. Ela é de todos nós.

De repente, fui dominada por uma sensação muito estranha, de querer, de desejar estender a mão e tocar no rosto de Jeremiah. Para que ele soubesse, para que *sentisse* exatamente quanto aquelas palavras eram importantes para mim. Porque às vezes as palavras são completamente inadequadas, e eu sabia disso, mas precisava tentar, de qualquer maneira.

— Obrigada. Isso significa... muito.

Ele deu de ombros.

— É a verdade.

Nós o vimos vindo de longe, caminhando rápido. Então nos levantamos e esperamos por ele.

— Acha que vem notícia boa por aí, Belly? Pra mim, parece — disse Jeremiah.

Pra mim, também.

Conrad veio até nós, os olhos brilhando.

— Eu arrasei — anunciou, triunfante.

Era a primeira vez que eu o via sorrindo, sorrindo de verdade, alegre e despreocupado, desde a morte de Susannah. Ele e Jeremiah bateram as mãos tão forte no alto que o barulho reverberou. Conrad sorriu para mim e me girou tão rápido que eu quase caí.

Eu não conseguia parar de rir.

— Está vendo? Está vendo? Eu falei!

Conrad me pegou e me atirou por cima do ombro como se eu não pesasse nada, exatamente como fez na outra noite. Dei risada enquanto ele corria, indo para a esquerda e para a direita, como se estivesse em um campo de futebol americano.

— Me coloca no chão! — berrei, puxando a barra do vestido.

Ele me atendeu e me colocou no chão com cuidado.

— Obrigado por ter vindo — disse, a mão ainda na minha cintura.

Antes que eu pudesse responder "de nada", Jeremiah se aproximou e disse:

— Ainda falta uma, Con.

Sua voz estava tensa, e eu endireitei o vestido.

Conrad olhou para o relógio.

— Tem razão. Vou até o departamento de psicologia. Essa vai ser rápida. Encontro vocês em uma hora, mais ou menos.

Enquanto eu o via se afastar, um milhão de perguntas passavam pela minha cabeça. Estava zonza, e não apenas por ter sido girada no ar.

— Vou procurar um banheiro — avisou Jeremiah, de repente. — Encontro você no carro.

Ele pegou a chave no bolso e a jogou para mim.

— Quer que eu espere? — perguntei, mas ele já estava se afastando.

Jere não se virou.

— Não, pode ir.

Em vez de ir direto para o carro, parei na loja de artigos para estudantes. Comprei um refrigerante e um casaco com capuz escrito BROWN. E vesti, mesmo não estando frio.

★ ★ ★

Jeremiah e eu ficamos sentados no carro, ouvindo rádio. Estava começando a escurecer. As janelas estavam abertas, e ouvi um passarinho cantando em algum lugar. Logo Conrad ia terminar sua última prova.

— Belo casaco, hein — comentou Jeremiah.

— Obrigada. Eu sempre quis um da Brown.

Jeremiah assentiu.

— Eu lembro.

Peguei no meu colar, torcendo-o ao redor do meu dedo mindinho.

— Eu fico pensando... — deixei a frase pela metade, esperando que Jeremiah me instigasse, me perguntasse sobre o que eu ficava pensando.

Mas ele não fez isso. Não me perguntou nada.

Ele ficou em silêncio.

Suspirando, olhei pela janela e perguntei:

— Ele fala de mim? Quero dizer, algum dia ele disse alguma coisa?

— Não faça isso — disparou Jeremiah.

— Não faça o quê?

Eu me virei para ele, confusa.

— Não me pergunte isso. Não me pergunte nada sobre ele.

Jeremiah falou com uma voz ríspida e baixa, um tom que ele nunca usava comigo e que eu não me lembrava de vê-lo usando com ninguém. Um dos músculos de seu maxilar se contraía furiosamente.

Recuei e afundei no meu lugar. Senti como se ele tivesse me dado um tapa.

— Qual é o problema?

Ele começou a dizer alguma coisa, talvez um pedido de desculpas, talvez não, e logo parou. Então se inclinou na minha direção e me puxou para perto, como a força da gravidade. Ele me beijou com força, e senti sua pele áspera contra meu rosto. A primeira coisa que me passou pela cabeça foi *Acho que ele não teve tempo de se barbear hoje de manhã*, e então... eu estava retribuindo o beijo, meus dedos no meio do cabelo loiro macio, meus olhos fechados. Ele me beijava como se estivesse se afogando e eu fosse ar. Foi um beijo apaixonado e desesperado, diferente de tudo que eu havia experimentado.

Era isso que as pessoas queriam dizer quando falavam que a terra para de girar. Parecia que o mundo fora daquele carro, daquele momento, não existia. Éramos só nós dois.

Quando ele se afastou, suas pupilas estavam enormes e fora de foco. Ele piscou, então pigarreou.

— Belly — começou, a voz parecendo confusa.

Ele não disse mais nada, só meu nome.

— Você ainda...

Gosta de mim. Pensa em mim. Me quer.

Com a voz rouca, ele respondeu:

— Sim. Sim, ainda.

Então nos beijamos de novo.

Ele deve ter feito algum barulho, porque nós dois olhamos ao mesmo tempo.

Nós nos afastamos. Lá estava Conrad, nos encarando. Estava parado ao lado do carro. Pálido.

— Não, não parem — pediu. — Sou eu que estou interrompendo.

Ele se virou, sem jeito, e saiu correndo. Jeremiah e eu nos encaramos em silêncio, horrorizados. Então abri a maçaneta e saí do carro. Não olhei para trás.

Corri atrás dele e chamei seu nome, mas Conrad não se virou. Agarrei seu braço, e ele finalmente olhou para mim. Havia tanto ódio em seus olhos que eu recuei. De certo modo, não era aquilo que eu queria? Fazer o coração dele doer tanto quanto o meu? Ou talvez fazer com que ele sentisse por mim algo além de pena ou indiferença? Fazê-lo sentir alguma coisa, qualquer coisa?

— Então você gosta do Jeremiah agora?

Conrad queria parecer sarcástico, e realmente pareceu, mas também pareceu triste. Como se ele se importasse com a resposta.

O que me deixou satisfeita. E triste.

— Não sei. Importa pra você se eu gosto?

Ele me encarou, e então se inclinou para a frente e tocou no colar no meu pescoço. O que eu estava escondendo sob a blusa o dia todo.

— Se você gosta do Jeremiah, por que está usando o meu colar?

Umedeci os lábios.

— Eu o encontrei quando a gente estava pegando as coisas do seu quarto. Não significa nada.

— Você sabe o que significa.

Balancei a cabeça.

— Não sei.

Mas é claro que eu sabia. Eu me lembrava de quando ele havia me explicado o conceito de infinito. Imensurável, um momento se estendendo até o instante seguinte. Ele tinha comprado aquele colar para mim. Ele sabia o que queria dizer.

— Então me devolva.

Conrad estendeu a mão, e eu vi que estava tremendo.

— Não.

— Não é seu. Eu nunca dei isso pra você. Você simplesmente pegou.

Foi quando eu finalmente entendi. Não era a intenção que contava. Era a execução que importava. Era estar presente para alguém. A intenção por trás não bastava. Não para mim. Não mais. Não era suficiente saber que, lá no fundo, ele me amava. A gente precisa dizer a alguém, mostrar que se importa de verdade. E Conrad simplesmente não fazia isso. Não o bastante.

Senti que ele estava esperando que eu discutisse, protestasse, implorasse. Mas não fiz nada disso. Tentei abrir o fecho do colar no meu pescoço pelo que pareceu uma eternidade. O que não foi nenhuma surpresa, considerando que minhas mãos também estavam tremendo. Por fim, abri o cordão e o entreguei de volta para ele.

Seu rosto registrou um mínimo instante de surpresa, e então, como sempre, ele se fechou outra vez. Talvez eu tivesse só imaginado que ele se importava.

Conrad enfiou o colar no bolso.

— Então vai embora — mandou.

Como não me mexi, ele exclamou, ríspido:

— Vai!

Eu parecia uma árvore, enraizada no lugar. Meus pés estavam paralisados.

— Vai para o Jeremiah. Ele quer você — disse Conrad. — Eu não quero. Nunca quis.

E então saí tropeçando, correndo.

42

Não voltei para o carro imediatamente. Tudo que tinha diante de mim eram escolhas impossíveis. Como eu poderia encarar Jeremiah depois do que acabara de acontecer? Depois de nos beijarmos, depois de eu sair correndo atrás de Conrad? Minha mente estava girando em um milhão de direções diferentes. Eu tocava meus lábios. Então toquei o pescoço, onde estava o colar. Fiquei andando à toa pelo campus, mas, depois de um tempo, voltei para o carro. Que escolha eu tinha? Não podia simplesmente ir embora sem falar com ninguém. E não era como se eu tivesse outra maneira de ir para casa.

Acho que Conrad pensou a mesma coisa, porque, quando voltei para o carro, ele já estava lá, sentado no banco de trás, com a janela aberta. Jeremiah estava sentado no capô.

— Oi — cumprimentou.

— E aí — respondi, hesitante, sem saber o que viria a seguir.

Pela primeira vez, nossa conexão telepática não funcionou comigo, porque eu não fazia ideia do que ele estava pensando. Era impossível ler seu rosto.

Ele deslizou do capô para o chão.

— Pronta pra ir pra casa?

Assenti, e ele me atirou a chave.

— Você dirige.

No carro, Conrad me ignorou completamente. Eu não existia mais para ele. E, apesar de tudo que eu tinha dito, aquilo me deu vontade de morrer. Eu nunca devia ter vindo. Nenhum de nós estava se falando. Eu havia perdido os dois.

O que Susannah diria se visse a bagunça em que estávamos agora? Ela ficaria muito decepcionada comigo. Eu não havia ajudado em nada. Só piorara tudo.

Justamente quando a gente pensou que as coisas ficariam bem entre nós, tudo desmoronou.

Eu estava dirigindo pelo que parecia uma eternidade quando começou a chover. Gotas grossas começaram a cair, e o céu desabou. Era muita água.

— Você está conseguindo ver bem? — perguntou Jeremiah.

— Estou — menti.

Mal conseguia ver meio metro à minha frente. Os limpadores iam e vinham furiosamente.

O trânsito estava lento, até que quase parou. Havia luzes das sirenes de polícia mais adiante.

— Deve ter havido um acidente — comentou Jeremiah.

Ficamos parados no trânsito por mais de uma hora quando começou a chover granizo.

Olhei para Conrad pelo retrovisor, mas sua expressão estava impassível. Ele poderia muito bem estar em outro lugar.

— Não seria melhor a gente parar?

— Sim. Pegue a próxima saída e vamos tentar encontrar um posto de gasolina — concordou Jeremiah, olhando para o relógio.

Eram dez e meia.

A chuva não aliviou. Ficamos sentados no estacionamento do posto pelo que pareceu uma eternidade. A chuva fazia muito barulho, mas o silêncio dentro do carro era tamanho que, quando meu estômago roncou, tenho quase certeza de que os dois escutaram. Tossi para disfarçar o barulho.

Jeremiah saiu do carro e correu para dentro do posto. Quando voltou, seu cabelo estava pingando. Ele atirou um pacote de biscoitos de manteiga de amendoim e queijo na minha direção sem nem me olhar.

— Tem um hotel de beira de estrada a alguns quilômetros daqui — disse, secando a testa com a parte de trás do braço.

— Vamos só esperar mais um pouco — sugeriu Conrad.

Foi a primeira vez que ele disse alguma coisa desde que tínhamos saído do campus.

— Cara, a estrada está fechada. Não faz sentido. Acho que a gente pode dormir por algumas horas e sair de manhã.

Conrad não disse nada.

Eu não falei nada porque estava ocupada demais comendo os biscoitos. Eles eram cor de laranja, salgados e farelentos, e eu os enfiava na boca, um depois do outro. Nem ofereci.

— Belly, o que você quer fazer? — perguntou Jeremiah, muito educadamente, como se eu fosse uma prima de fora da cidade. Como se a boca dele não estivesse colada à minha poucas horas antes.

Engoli meu último biscoito.

— Por mim tanto faz. Façam o que vocês quiserem.

Era meia-noite quando chegamos ao hotel.

Fui até o banheiro ligar para minha mãe. Contei a ela o que aconteceu, e ela disse na mesma hora:

— Estou indo buscar você.

Cada parte de mim queria dizer *sim, por favor, venha agora mesmo*, mas ela pareceu tão cansada e já tinha feito tanta coisa. Em vez disso, respondi:

— Não, está tudo bem, mamãe.

— Não tem problema, Belly. Não é muito longe.

— Está tudo bem, sério mesmo. Vamos embora amanhã de manhã cedo.

Ela bocejou.

— O hotel fica em uma área segura?

— Fica — respondi, embora eu não soubesse exatamente onde estávamos e se aquela era uma área segura, mas parecia segura o bastante.

— Então vai dormir e acorde cedinho. Me ligue quando estiverem na estrada.

Depois que desliguei o telefone, eu me apoiei na parede por um tempo. Como eu tinha ido parar ali?

Vesti o pijama de Taylor e coloquei o casaco por cima.

Escovei os dentes e tirei as lentes de contato com calma. Não me importei que os meninos pudessem estar querendo usar o banheiro. Só queria um tempo sozinha, longe deles. Quando saí, Jeremiah e Conrad estavam no chão, em lados opostos da cama. Cada um tinha um travesseiro e um cobertor.

— Vocês dois deviam ficar com a cama — sugeri, embora não estivesse falando totalmente sério. — Vocês são dois. Eu durmo no chão.

Conrad estava ocupado me ignorando, mas Jeremiah respondeu:

— Nada disso. Você dorme na cama. Você é a garota.

Em circunstâncias normais, eu teria discutido com ele só por discutir — o que o fato de eu ser uma garota tinha a ver com eu dormir ou não no chão? Ser garota não era nenhuma deficiência física. Mas não discuti. Estava cansada demais. E queria ficar na cama.

Eu me deitei e fui para debaixo das cobertas. Jeremiah ajustou o despertador no celular e desligou as luzes. Ninguém disse boa-noite nem sugeriu que víssemos se alguma coisa legal estava passando na TV.

Tentei pegar no sono, mas não consegui. Tentei recordar a última vez que nós três tínhamos dormido no mesmo quarto. No começo não consegui, mas depois eu me lembrei.

Havíamos armado uma barraca na praia, e eu tinha implorado para que eles me deixassem participar também. Finalmente, minha mãe os convenceu a me deixarem ir. Eu, Steven, Jeremiah e Conrad. Jogamos Uno durante horas, e Steven deu tapinhas na minha mão quando eu ganhei duas vezes seguidas. De repente, senti tanta saudade do meu irmão mais velho que tive vontade de chorar. Parte de mim achava que, se ele estivesse lá, as coisas não teriam ficado tão terríveis. Talvez nada daquilo tivesse acontecido, porque eu ainda estaria correndo atrás dos meninos, em vez de estar no meio deles.

Mas agora tudo havia mudado, e nós nunca mais voltaríamos a ser como antes.

Eu estava deitada na cama pensando em tudo isso quando ouvi Jeremiah roncando, o que me deixou bem irritada. Ele sempre conseguiu pegar no sono muito rápido, assim que deitava a cabeça no travesseiro. Pensei que ele não teria insônia pelo que havia acontecido. Pensei que eu também não deveria. Eu me virei de lado, dando as costas para Jeremiah.

E então ouvi Conrad dizer, baixinho:

— Mais cedo, quando eu disse que nunca quis você, aquilo não foi verdade.

Prendi a respiração. Eu não sabia o que dizer ou se ao menos deveria dizer alguma coisa. Tudo que eu sabia era que aquele era o momento que eu vinha esperando. Aquele exato momento. Exatamente aquilo.

Abri a boca para falar, e ele disse de novo:

— Não foi verdade.

Prendi a respiração, esperando para ouvir o que ele diria depois.

— Boa noite, Belly. — E foi tudo.

Depois disso, é claro que eu não consegui dormir. Minha cabeça estava cheia de coisas para pensar. O que ele queria dizer? Que ele queria ficar, tipo, comigo? Ele e eu, de verdade? Era o que eu queria a vida inteira, mas daí tem a expressão de Jeremiah no carro, verdadeira, me querendo, precisando de mim. Naquele momento, eu também o queria e precisava dele, mais do que eu jamais havia imaginado. Será que aquilo sempre esteve lá? Mas, depois dessa noite, eu nem sabia se ele ainda me queria. Talvez fosse tarde demais.

E lá estava Conrad. *Não foi verdade*. Fechei os olhos e o escutei dizendo aquelas palavras sem parar. A voz dele percorrendo a escuridão me assombrava e me emocionava.

Então fiquei ali deitada, mal respirando, repassando cada palavra. Os meninos estavam dormindo, mas cada parte de mim estava desperta e viva. Era como um sonho realmente incrível, e eu estava com medo de cair no sono porque, quando acordasse, tudo aquilo teria desaparecido.

43

7 de julho

Acordei antes de o despertador de Jeremiah tocar. Tomei um banho, escovei os dentes e vesti as mesmas roupas do dia anterior.

Quando saí, Jeremiah estava no celular, e Conrad, dobrando o cobertor. Esperei que ele olhasse para mim. Se ele olhasse para mim, se sorrisse, se dissesse alguma coisa, eu saberia o que fazer.

Mas Conrad não olhou. Ele guardou os cobertores de volta no armário e calçou os tênis. Desamarrou os cadarços e os amarrou mais apertados. Continuei esperando, mas ele não olhou para mim.

— E aí — falei.

Ele finalmente levantou a cabeça.

— E aí — respondeu. — Um amigo meu está vindo me buscar.

— Por quê? — perguntei.

— Vai ser mais fácil assim. Ele vai me levar de volta a Cousins para eu pegar meu carro, e o Jere pode levar você pra casa.

— Ah.

Fiquei tão surpresa que levei um tempo para demonstrar a decepção e a absoluta descrença.

Ficamos ali parados, olhando um para o outro, sem dizer nada. Mas foi o tipo de nada que quer dizer tudo. Em seus olhos, não havia sinal do que tinha acontecido entre nós mais cedo, e eu pude sentir algo dentro de mim se partir.

Então era isso. Finalmente — finalmente — tínhamos terminado.

Olhei para ele e me senti muito triste, porque pensei: *Eu nunca mais vou olhar para você do mesmo jeito. Nunca mais vou ser aquela menina. A que volta correndo toda vez que você a afasta, a menina que ama você de qualquer maneira.*

Não consegui sequer ficar com raiva dele, porque Conrad era assim. Sempre tinha sido assim. Ele nunca mentira a respeito disso. Ele dava e depois tirava. Senti, na boca do estômago, aquela dor conhecida, aquela perda. Senti a dor conhecida, aquela sensação perdida e cheia de arrependimento que só ele conseguia provocar em mim. Eu nunca mais queria sentir aquilo. Nunca mais.

Talvez por isso eu tenha ido, para saber de verdade. Para poder dizer adeus.

Olhei para ele e pensei: *Se eu fosse muito corajosa ou muito sincera, eu diria*. Eu diria, para que ele soubesse e eu também soubesse, e eu jamais poderia voltar atrás. Mas eu não era tão corajosa nem tão sincera, então tudo que fiz foi olhar para ele. E acho que ele soube mesmo assim.

Eu liberto você. Eu expulso você do meu coração. Porque se eu não fizer isso agora, nunca mais o farei.

Fui a primeira a desviar o olhar.

Jeremiah desligou o celular e perguntou a Conrad:

— O Dan está vindo buscar você?

— Sim. Vou ficar aqui esperando.

Então Jeremiah olhou para mim.

— O que você quer fazer?

— Eu quero ir com você — respondi.

Peguei minha mochila e os sapatos da Taylor.

Ele se levantou e pegou a mochila do meu ombro.

— Então vamos.

Para Conrad, ele disse:

— Nos vemos em casa.

Eu me perguntei a qual casa ele estava se referindo, à casa de praia ou de sempre. Mas pensei que não tinha muita importância.

— Adeus, Conrad — falei.

Saí porta afora com os sapatos da Taylor na mão e não me dei ao trabalho de calçá-los. Não olhei para trás. E ali mesmo eu senti: o brilho, a satisfação de ser quem vai embora primeiro.

★ ★ ★

Enquanto caminhávamos pelo estacionamento, Jeremiah disse:
— Talvez seja melhor você colocar os sapatos. Pode acabar cortando os pés em alguma coisa.
Dei de ombros.
— Esses sapatos são da Taylor — expliquei, como se isso fizesse algum sentido. — São pequenos demais — acrescentei.
— Quer dirigir?
Pensei um pouco e respondi:
— Não, tudo bem. Você dirige.
— Mas você adora dirigir meu carro — retrucou ele, dando a volta até o lado do carona e abrindo minha porta primeiro.
— Eu sei. Mas hoje estou a fim de ficar só olhando a paisagem.
— Quer tomar café da manhã primeiro?
— Não. Só quero ir pra casa.

Não demoramos a pegar a estrada. Abri minha janela toda. Coloquei a cabeça para fora e deixei meu cabelo voar para todos os lados, só porque deu vontade. Uma vez, Steven me disse que insetos e outras coisas ficam presos no cabelo das meninas quando elas andam com a cabeça para fora da janela do carro. Mas eu nem ligava. Gostava daquela sensação. Eu me sentia livre.
Jeremiah olhou para mim e disse:
— Você me lembra nosso velho cachorro, o Boogie. Ele adorava andar com a cabeça pra fora da janela.
Ele ainda estava usando a voz educada. Distante.
— Você não disse nada. Sobre o que aconteceu — falei.
Olhei para ele. Pude ouvir meu coração bater com força.
— O que ainda falta dizer?
— Não sei. Muita coisa.
— Belly...
Então ele parou e soltou o ar, balançando a cabeça.

— O que foi? O que você ia dizer?
— Nada.

Então estendi meu braço, segurei a mão de Jere e entrelacei meus dedos nos dele. Pareceu a coisa mais certa que eu tinha feito em muito tempo.

Fiquei com medo de ele soltar, mas não soltou. Ficamos de mãos dadas daquele jeito todo o resto do caminho para casa.

Alguns anos depois

Quando eu imaginava a eternidade, era sempre com o mesmo garoto. Nos meus sonhos, meu futuro estava traçado. Era algo certo. Não era assim que eu tinha imaginado. Eu, de vestido branco, embaixo da chuva, correndo para o carro. Ele, correndo na minha frente, abrindo a porta do carona.

— Tem certeza? — pergunta ele.
— Não — respondo, e entro.
O futuro não está claro. Mas ainda é meu.

Agradecimentos

Minha sincera gratidão a Emily van Beek, Holly McGhee e Elena Mechlin, da Pippin Properties, e a Emily Meehan e Julia Maguire, da S&S. Agradeço também a minhas primeiras leitoras: Caroline, Lisa, Emmy, Julie e Siobhan. Tenho muita sorte de conhecer vocês.

1ª edição	JANEIRO DE 2019
reimpressão	AGOSTO DE 2025
impressão	BARTIRA
papel de miolo	PÓLEN NATURAL 70 G/M²
papel de capa	CARTÃO SUPREMO ALTA ALVURA 250 G/M²
tipografia	BEMBO